BRAINIAC PUZZLES

MEDIUM SUDOKU PUZZLE BOOK

432 Sudoku Puzzles

VOLUME 1

T

TYPESET
PUBLISHING

Medium Sudoku Puzzle Book: Volume 1 / Typeset Publishing

ISBN: 978-1-956652-06-2

BRAINIAC PUZZLES

LOOKING FOR MORE GAMES AND PUZZLES?

Visit our website below and get free print at home puzzles, special discounts, and be the first to know about our latest releases!

www.brainiacpuzzles.com

-OR-
SCAN:

Contents

SUDOKU BASICS

About Sudoku

Although French newspapers featured variations of Sudoku in the 19th century, it wasn't until 1986 when the Japanese puzzle company Nikoli introduced the world to the game we now call Sudoku (meaning "single number"). Although number-based, Sudoku doesn't require any special math skills, but rather the skilled use of logic.

How to play Sudoku

To solve a Sudoku puzzle, each row across, column down, and 3x3 block will contain every number from 1 through 9 once. In other words, no number can appear more than once in any row, column, or smaller 3x3 grid. Working with the givens provided in each puzzle, you complete each puzzle with the missing numbers that complete the puzzle.

RULES OF THE GAME

- Rows can only contain the numbers 1 through 9 once.

- Columns can only contain the number 1 through 9 once.

- 3x3 blocks can only contain the numbers 1 through 9 once.

Sudoku Terminology

- **Block:** One of the nine 3x3 sections that make up the Sudoku puzzle.

- **Candidate:** The possible numbers that could be entered in a cell.

- **Givens:** The starting numbers printed in the cells.

- **Cell:** A single square in a grid.

	3	5					9	
				4		8	3	6
		8		1		5		7
8			9					
3			1	8	5			9
					7			4
2		6		9		4		
1	8	7		3				
	4					2	1	

Getting Started

While there are countless ways to start a Sudoku puzzle, we wanted to provide a simple example to help jumpstart your Sudoku journey. Remember, each puzzle is unique, and therefore certain techniques like the one described below, might need to be adjusted.

1. Scanning the Puzzle

When we look at this puzzle, we want to focus on the "low-hanging" fruit first. This is typically defined by columns, rows, or 3x3 blocks that have the highest number of givens presented. In this case, the top right block and bottom left block stand out as great candidates to get started because both contain 6 of the nine cells filled out.

	3	5					9	
				4		8	3	6
		8		1		5		7
8			9					
3			1	8	5			9
					7			4
2		6		9		4		
1	8	7		3				
	4					2	1	

2. Identifying the Starting Point

In this case, we are starting with the bottom left block. We want to make a note of which numbers are necessary to complete this block. In this case, those numbers are 3, 5, and 9.

8			9		
3			1	8	5
					7
2		6		9	
1	8	7		3	
	4				

3. Scanning for Number Placement

While you could pick any number to start with, we are going to start with the number 3. Starting from the leftmost column, we see that a 3 is present in that column. This means that we cannot place the 3 in this column.

Moving to the second column, we see a 3 at the top of that column. This blocks us from placing the 3 in this column.

Through this quick process of elimination, the 3 can only be placed in the third column.

4. Placing Second Number

After placing number 3, we are now left with numbers 5 and 9. Since number 5 could be placed in two squares, we are going to skip it for now and focus on number 9, since it can only be placed in one position.

5. Completing the Block

By process of elimination, we can place number 5 in the last cell available within that block.

6. Continue Finding Patterns

Using this scanning method, you could start on the top-right block, or you might want to try scanning a few of the bottom rows to see if anything stands out.

The beauty of Sudoku is that there are many strategies that one can use to solve the puzzle. Through trial and error, you will discover which strategy and approach will work best for you.

	3	5					9	
				4		8	3	6
		8		1		5		7
8			9					
3			1	8	5			9
					7			4
2	5	6		9		4		
1	8	7		3				
9	4	3				2	1	

7. Finishing the Puzzle

The puzzle is complete when all the cells are filled in, without violating any rules. While it might take you a little longer at first, you will quickly start to improve your pattern recognition and be able to advance to much more difficult Sudoku puzzles.

4	3	5	6	7	8	1	9	2
7	2	1	5	4	9	8	3	6
6	9	8	2	1	3	5	4	7
8	7	2	9	6	4	3	5	1
3	6	4	1	8	5	7	2	9
5	1	9	3	2	7	6	8	4
2	5	6	8	9	1	4	7	3
1	8	7	4	3	2	9	6	5
9	4	3	7	5	6	2	1	8

A NOTE ON DIFFICULTY RATING OF PUZZLES

While some game publishers will rate the difficulty of a Sudoku puzzle by simply counting the number of givens found on the board, this is not accurate. There are many examples of both "easy" and "difficult" puzzles violating this basic rating system.

A more accurate approach, and the one we use in this book, is to judge the difficulty of a puzzle based on the number of different solving techniques (single candidate, hidden triple, etc.) that are needed to solve the puzzle, along with how many times each technique is used.

Rather than doing this by hand, we use a computer algorithm that solves each puzzle and then provides a rating based on the difficulty of the techniques used to solve the puzzle. While not always perfect, we have found that this approach delivers a much more predictable and accurate result when compared to other rating "systems".

PUZZLES

Puzzle #1 (Medium, Difficulty Rating: 52.92)

		5	9			2		
1	2			5	3			
	4				6	5		
	5		6	8				
6			5		7			2
				1	2		8	
		9	7				1	
			3	6			5	4
		4			5	3		

Puzzle #2 (Medium, Difficulty Rating: 50.96)

			6	1	5	9		4
							8	
	1		7		2	5		6
				6		3		
3	4						6	1
		6		7				
1		3	8		9		7	
	5							
7		8	5	3	6			

Puzzle #3 (Medium, Difficulty Rating: 53.90)

		7	3			1		
		8			7			2
	1		8		9		4	6
4	7		1			6		
		9			6		1	8
2	9		7		3		6	
1			9			3		
		3			1	4		

Puzzle #4 (Medium, Difficulty Rating: 50.96)

2	1	9			5	7		
		7			6		9	
	6		8	7		4		
			6			1		9
				1				
3		1			2			
		8		6	7		5	
	5		3			8		
		4	5			9	6	2

Puzzle #5 (Medium, Difficulty Rating: 48.02)

			9	4			6	
	2	1	5				9	8
		8		1		3		5
3				8				
		7		6		9		
				2				3
8		4		7		2		
5	7				1	4	3	
	1			5	4			

Puzzle #6 (Medium, Difficulty Rating: 50.96)

			8		1	2		
8		3			6	5		
9							6	8
			7			6	8	
4		6		1		9		2
	5	9			8			
5	6							9
		8	4			3		6
		1	9		2			

Puzzle #7 (Medium, Difficulty Rating: 53.90)

	1	8		5				9
				4			6	
	2					1		5
5				8	7	9	4	1
				3				
4	9	6	5	1				8
2		1					9	
	6			2				
7				9		6	8	

Puzzle #8 (Medium, Difficulty Rating: 50.96)

5	6	1		4				
		7	9				3	
			5			2		
					9	8		2
9	3		1		2		4	7
2		8	6					
		9			7			
	5				1	7		
				2		1	8	9

Puzzle #9 (Medium, Difficulty Rating: 48.02)

		3			1			5
6	5	1	4					
7				9				
	4	9		6			1	2
	3						8	
8	6			1		5	9	
				5				6
					9	7	4	1
4			2			8		

Puzzle #10 (Medium, Difficulty Rating: 53.90)

		5						
	6			2		5	4	3
					5	7	9	8
		8	9		6			
1		7				8		6
			7		8	1		
9	8	6	3					
4	5	2		8			3	
						9		

Puzzle #11 (Medium, Difficulty Rating: 47.04)

2								5
1		7	5	2		9		
	4	9		6				1
			7	8				
	1		3		2		8	
				4	1			
6				5		7	2	
		4		3	7	1		9
3								4

Puzzle #12 (Medium, Difficulty Rating: 49.98)

7		3	6					
5					2		9	
		1			5		8	
		9	5	6	8	4		
6								8
		2	3	7	9	1		
	5		2			6		
	2		9					7
					7	2		4

Puzzle #13 (Medium, Difficulty Rating: 48.02)

					8		4	
3		8		7		6		
	7	9			6		3	
		3		9				2
7		2				5		3
9				6		7		
	1		9			2	5	
		5		1		4		9
	9		7					

Puzzle #14 (Medium, Difficulty Rating: 54.88)

5		9						1
				1	3	2		
		1			4		8	9
				9		4	1	
9		7				8		3
	1	4		2				
4	9		2			6		
		3	7	8				
1						5		8

Puzzle #15 (Medium, Difficulty Rating: 53.90)

			7	5			3	8
		9		6	1			4
			8	2				6
5		1				6	8	
	2	8				1		3
6				3	5			
8			6	1		7		
4	1			7	8			

Puzzle #16 (Medium, Difficulty Rating: 52.92)

1							7	
	6	8			1		3	
	3		8		4		5	1
2		1		5		7		
		3		9		2		6
6	1		9		8		4	
	8		7			1	2	
	7							9

Puzzle #17 (Medium, Difficulty Rating: 45.08)

	7	8		4	2			
	2	4						
		9	7	8				
8				6		2	5	
	5		8		1		3	
	9	1		7				4
				1	6	9		
						6	8	
			2	3		4	1	

Puzzle #18 (Medium, Difficulty Rating: 50.96)

			5					2
3			6	2	8			
	2					3	8	
5		6			4	8		1
		1		5		7		
2		3	7			4		9
	9	7					4	
			4	6	7			5
4					9			

Puzzle #19 (Medium, Difficulty Rating: 57.82)

					1	4	3	
			2	5				
			4	3	6	8		
4		1			3			2
8		9				1		3
2			6			7		8
		5	3	9	8			
				6	2			
	2	6	5					

Puzzle #20 (Medium, Difficulty Rating: 49.98)

	5		2					7
				1	8			3
	1					4		
			1	9		8		
8	9	4	7		3	6	5	1
		2		5	6			
		6					3	
5			6	8				
2					5		8	

Puzzle #21 (Medium, Difficulty Rating: 52.92)

9	8				7	1		4
			8		3		7	
	7		9			5		2
						2	5	
5				3				9
	4	1						
6		8			9		2	
	2		6		5			
4		5	3				9	7

Puzzle #22 (Medium, Difficulty Rating: 48.02)

	3	7		5	4			
8			1				7	
		4		7		5		
3		5			9			
6			2		5			3
			7			6		9
		1		4		7		
	8				3			5
			5	2		1	8	

Puzzle #23 (Medium, Difficulty Rating: 47.04)

	2	3		7				
				6	3			1
	9	7	1	4				
	1		9		6	2		8
3		8	7		1		5	
				1	7	4	9	
4			6	5				
				9		8	3	

Puzzle #24 (Medium, Difficulty Rating: 45.08)

7						5	9	
	4	6		3	9			
1					8	3	2	
5	2							
		8	7		1	4		
							1	8
	1	7	4					9
			9	8		1	7	
	3	9						5

Puzzle #25 (Medium, Difficulty Rating: 47.04)

	9							
	5			1	6			9
		7			3	6	1	4
1			6		5	8		
			3		9			
		5	8		1			6
9	4	6	7			5		
8			5	9			6	
							4	

Puzzle #26 (Medium, Difficulty Rating: 52.92)

		5					8	
3	6						7	
8				1			5	6
4			3	7		8	9	
			2		9			
	3	9		5	1			4
5	4			9				2
	8						3	9
	7					5		

Puzzle #27 (Medium, Difficulty Rating: 49.98)

	4			3			8	
6								
3	5			2	9		6	1
				5	7		4	
		7	1		4	9		
	1		3	9				
5	9		2	4			1	6
								2
	6			1			5	

Puzzle #28 (Medium, Difficulty Rating: 46.06)

5		9			3			
1		4			2	8		
2			5	1				9
		5		6				
	1		9		7		6	
				5		4		
3				2	9			4
		8	3			9		1
			8			7		5

Puzzle #29 (Medium, Difficulty Rating: 47.04)

	4		1				8	7
					2			9
5			8	4			6	
		8		2		3	7	
9								2
	2	4		3		6		
	3			7	6			1
4			2					
7	9				5		4	

Puzzle #30 (Medium, Difficulty Rating: 49.98)

4			3	8		5		
	3				5			
2	1	5			4		3	
6	7					3		
		9				1		
		2					4	8
	2		8			9	5	7
			5				8	
		7		3	2			1

Puzzle #31 (Medium, Difficulty Rating: 51.94)

		2	1		7		8	5
	4							7
	7			3			1	
3		7	6			1		
	9			5			7	
		6			1	4		9
	5			7			4	
7							9	
9	1		2		5	7		

Puzzle #32 (Medium, Difficulty Rating: 53.90)

		6	8			5		2
4		5	6					
	8		1	4				6
				3	9			
	4	9				3	5	
			5	8				
3				7	2		6	
					6	2		8
9		2			8	1		

Puzzle #33 (Medium, Difficulty Rating: 45.08)

	6			5		4		3
			2			9		7
		7				6		8
	1				5			2
3			1		7			9
5			8				3	
1		5				7		
6		9			3			
7		2		6			9	

Puzzle #34 (Medium, Difficulty Rating: 50.96)

	4		6			9		
9				4	5		8	
8	1							
2			7		8	5		
	3	5				7	9	
		4	5		6			2
							6	7
	5		1	7				9
		9			2		3	

Puzzle #35 (Medium, Difficulty Rating: 45.08)

4	7				8			3
2			9	1		5		
		1						2
		4	1		5		2	
3								9
	2		3		6	7		
9						4		
		3		4	2			5
7			8				1	6

Puzzle #36 (Medium, Difficulty Rating: 56.84)

6				3				
	7			2		9	3	
9					8		1	
	6				7		2	5
3			6		5			9
7	5		3				8	
	9		2					3
	3	4		8			7	
				7				4

Puzzle #37 (Medium, Difficulty Rating: 48.02)

		6	8		3		5	7
5	2			1	7			
					4	3		
	8	2					4	
3				8				2
	9					8	7	
		9	1					
			2	7			6	9
8	7		3		6	2		

Puzzle #38 (Medium, Difficulty Rating: 49.98)

			3		4	6		
8				1			5	4
		7	5	8	6	1		
1			7					
		5		4		8		
					2			5
		2	6	5	1	7		
7	4			9				6
		6	4		8			

Puzzle #39 (Medium, Difficulty Rating: 48.02)

	1	5	7	6	2			
8				9				
		6			1	2		4
1	2	7						
			6		3			
						9	7	8
2		4	5			1		
				4				7
			2	1	7	8	4	

Puzzle #40 (Medium, Difficulty Rating: 53.90)

7	6			4	2	1		
				3		2	9	
			9					
			8	6	4			5
1		3				8		6
5			7	1	3			
					5			
	7	1		2				
		5	4	9			6	1

Puzzle #41 (Medium, Difficulty Rating: 46.06)

	6	1	3					
		5	8				3	9
3	8				5		2	
			9		2		5	
		8				3		
	9		5		1			
	2		1				7	6
6	1				9	2		
					3	5	1	

Puzzle #42 (Medium, Difficulty Rating: 52.92)

2						5		6
		7		6				
			9	4				7
	2	8	5		6	3	7	
	7						6	
	3	5	2		4	1	9	
5				8	7			
				5		6		
3		4						1

Puzzle #43 (Medium, Difficulty Rating: 52.92)

		4			1			9
			8	2				
	6				9	1		
9	3		7	8	4		1	
		1				9		
	2		1	9	6		3	5
		9	4				7	
				7	3			
3			5			8		

Puzzle #44 (Medium, Difficulty Rating: 56.84)

		2	9	1		6		
			5				2	4
6	5			8			9	7
5	4							
	2						3	
							6	9
8	6			4			7	1
2	7				8			
		1		7	2	8		

Puzzle #45 (Medium, Difficulty Rating: 44.10)

		8	1		5			3
	3	5	8		9		1	
6	9			4				
		3						5
		6				8		
4						3		
				9			7	4
	1		5		2	9	3	
9			3		4	5		

Puzzle #46 (Medium, Difficulty Rating: 52.92)

				7			4	
			9				7	2
			1		4	9		6
	9			2	7	8		5
			8		9			
3		8	4	6			1	
6		4	7		1			
7	5				2			
	2			4				

Puzzle #47 (Medium, Difficulty Rating: 52.92)

	2	9		6	1	8		4
			8			5		
					7	1		6
	7			3		9		
	6						4	
		3		5			6	
5		2	9					
		1			5			
7		6	1	8		3	9	

Puzzle #48 (Medium, Difficulty Rating: 48.02)

	5	2				7	4	8
8	1				2			
					7	1		
7						2	6	
	2	3				5	8	
	4	5						1
		4	8					
			7				3	9
5	6	9				8	2	

Puzzle #49 (Medium, Difficulty Rating: 49.98)

					5	4		7
			9	3		8		
	8	6	1			5		
9			8			2	5	
		3				7		
	5	1			7			6
		5			8	3	4	
		8		5	9			
3		2	7					

Puzzle #50 (Medium, Difficulty Rating: 46.06)

			5	3				
		5					1	2
4	3		2		8	9		
	6						9	4
9			4	2	6			5
1	5						2	
		9	7		2		3	1
5	1					4		
				8	5			

Puzzle #51 (Medium, Difficulty Rating: 51.94)

1		2		4	8	3		
	4		3	9		7	1	
	6							5
		1	8		4			
				2				
			7		1	4		
6							9	
	5	8		1	9		7	
		7	4	8		6		1

Puzzle #52 (Medium, Difficulty Rating: 45.08)

8		2						
		3			2	1		5
		1	5		7			
7				3	5			6
5		9				8		1
3			1	8				4
			2		4	5		
1		4	6			3		
						4		9

Puzzle #53 (Medium, Difficulty Rating: 45.08)

3					1	8	7	
				2		5	3	
				9	7		2	6
	7				6		5	
8								3
	9		4				6	
5	8		9	4				
	3	1		7				
	4	6	1					5

Puzzle #54 (Medium, Difficulty Rating: 58.80)

9	4	6			2			8
7		1						
	2				4	5		
					6	7	5	1
			2	5	1			
5	1	9	4					
		4	7				3	
						1		2
1			8			9	4	7

Puzzle #55 (Medium, Difficulty Rating: 50.96)

							1	3
8			3		2	5		
		4		1		7		9
7						3		
3	4	6				9	7	2
		8						6
6		7		2		1		
		5	9		6			7
2	9							

Puzzle #56 (Medium, Difficulty Rating: 49.98)

5		7	8		4			
9								4
	2	3				8		
			6			7	9	3
3			5	4	9			2
2	9	8			7			
		5				2	3	
8								6
			2		3	5		1

Puzzle #57 (Medium, Difficulty Rating: 57.82)

		7	5	6		4		2
	2				7		5	9
		1					7	
			7	9				6
			1		6			
7				3	5			
	5					2		
1	6		8				9	
9		8		2	1	5		

Puzzle #58 (Medium, Difficulty Rating: 48.02)

	2	6			3	9		8
	3	5	8	4				2
					6	5		
8							3	
	4						5	
	6							9
		8	6					
6				8	5	4	2	
2		1	4			8	7	

Puzzle #59 (Medium, Difficulty Rating: 58.80)

	9							
	5	1		2	3	9	7	
		4			6	1		
5	4				8		1	
		2		4		6		
	6		3				9	4
		8	1			2		
	2	5	6	8		7	4	
							5	

Puzzle #60 (Medium, Difficulty Rating: 57.82)

	7	3	8		1			
		4		7				3
	9	8			4			1
					8			2
3		9		4		1		7
6			1					
9			4			3	7	
8				6		2		
			2		9	5	4	

Puzzle #61 (Medium, Difficulty Rating: 51.94)

	5			4				8
			6	8				9
	1	6		5		2		
	6				8	7		4
		3				8		
2		8	9				1	
		1		9		4	5	
5				1	7			
4				3			8	

Puzzle #62 (Medium, Difficulty Rating: 49.00)

	3		9		5			6
	1		4	3		5	7	
			8			2		
4	6		2					
	9						5	
					3		4	9
		7			9			
	8	6		1	4		2	
9			6		8		3	

Puzzle #63 (Medium, Difficulty Rating: 54.88)

	1			2				
	5	8	3	1				
2			7					5
	9				1	6	3	7
		2				5		
8	7	6	5				1	
5					7			6
			5	3	9	4		
				9			5	

Puzzle #64 (Medium, Difficulty Rating: 53.90)

	4		7			3		
7	1	2	9	6				
3					8			7
			5			7	8	
	3						9	
	7	8			4			
5			1					6
			4	5		2	7	3
		7			2		1	

Puzzle #65 (Medium, Difficulty Rating: 52.92)

2		1		9			3	5
				6				
	4	7	3				9	
6	7				8	3		
			6		1			
		8	4				2	6
	9				2	7	6	
				4				
3	1			8		5		9

Puzzle #66 (Medium, Difficulty Rating: 46.06)

					8	3		9
1				2	4	5		
7		9		5				8
	2	3			7	8		
		4	3			9	2	
6				4		1		3
		5	1	7				2
4		1	8					

Puzzle #67 (Medium, Difficulty Rating: 53.90)

4	6		3			9		
		2	7					
9			5				4	2
7				3		2		1
		6				7		
5		1		9				6
1	9				8			5
					5	3		
		4			3		2	9

Puzzle #68 (Medium, Difficulty Rating: 49.00)

		3		1				
6	8				2	4		
	1			3	8			2
				8	5	9	1	
		7				2		
	3	8	2	6				
7			8	2			9	
		6	3				2	7
				9		5		

Puzzle #69 (Medium, Difficulty Rating: 49.00)

8		7		3			6	
					4			3
			8		2	9	1	5
9						7	5	
		8				4		
	4	5						2
2	9	1	3		6			
4			1					
	7			9		6		1

Puzzle #70 (Medium, Difficulty Rating: 45.08)

	6						5	9
		9	8			1		
	5		9	4				7
		8		9	4			
5	3						9	2
			3	7		5		
9				6	8		3	
		1			7	9		
7	4						6	

Puzzle #71 (Medium, Difficulty Rating: 55.86)

1	5		9			8		
7		8	1	6			3	
6			8	4				
		3			8			1
				9				
9			2			3		
				7	2			5
	8			3	9	6		7
		7			1		2	3

Puzzle #72 (Medium, Difficulty Rating: 45.08)

		1		3				
6	8	4				3		
9				2		5	1	8
1	4		8			7		
		8			2		9	4
3	5	7		4				1
		9				2	5	7
				5		6		

Puzzle #73 (Medium, Difficulty Rating: 47.04)

	8			1				
	2		8			6		7
		4	6	5				3
9		1	4		5			
		2		9		1		
			1		8	7		4
4				8	2	3		
5		8			1		4	
			6				8	

Puzzle #74 (Medium, Difficulty Rating: 54.88)

	8			5			4	
6			3		8			7
9		4	6			1		
							2	9
	9		8		1		6	
3	4							
		8			5	9		6
5			7		3			4
	7			6			5	

Puzzle #75 (Medium, Difficulty Rating: 52.92)

	2	6		1	9		8	
					3			1
9		1	7				6	
						6	4	2
6				8				9
5	4	2						
	3				6	7		5
7			1					
	9		8	7		3	1	

Puzzle #76 (Medium, Difficulty Rating: 50.96)

		1		8		2		5
	5		2	1				9
2			9					4
			6		5		7	
		8		7		1		
	3		8		1			
9					8			1
8				9	4		6	
5		3		6		9		

Puzzle #77 (Medium, Difficulty Rating: 49.00)

	6		3			8	4	
2				1		7		
	8	7		9			2	
4			9	8				
			6	7	4			
				3	1			8
	2			4		9	7	
		4		5				3
	7	9			3		1	

Puzzle #78 (Medium, Difficulty Rating: 56.84)

		3			1	9		8
				8		5		
7			5				3	4
2						8		
8	3		9		2		5	6
		7						1
5	7				6			2
		4		3				
3		6	4			7		

Puzzle #79 (Medium, Difficulty Rating: 46.06)

					5		2	
5		9				4		
			9	7		6	3	
		6	8			2	1	
	5		3		6		8	
	8	4			7	5		
	2	7		9	3			
		1				3		6
	3		6					

Puzzle #80 (Medium, Difficulty Rating: 51.94)

				4		5	3	
	1		5		3	2	4	
4							6	
9		7				6		3
			4	7	1			
5		1				7		4
	9							2
	6	4	1		2		5	
	5	3		9				

Puzzle #81 (Medium, Difficulty Rating: 57.82)

	1	4		6				8
			1		8		4	
3		8				6		
	4	3		5	6			9
2			4	1		7	8	
		7				2		3
	3		6		5			
8				3		4	5	

Puzzle #82 (Medium, Difficulty Rating: 56.84)

	9	2	1					
		7	9			5		4
8	3		7			9		
3				2			8	5
2	4			5				1
		3			8		6	9
4		1			6	3		
					1	2	4	

Puzzle #83 (Medium, Difficulty Rating: 47.04)

		7	2	3				1
					7	3		
	5		1			9	6	
	7		8	4			1	
		4				7		
	8			7	2		3	
	2	9			8		5	
		3	7					
4				5	6	2		

Puzzle #84 (Medium, Difficulty Rating: 51.94)

	9		8		4		2	1
2		1						7
	8					9		
		9		7			5	
1	7						3	9
	4			3		6		
		6					1	
7						2		8
4	1		3		7		9	

Puzzle #85 (Medium, Difficulty Rating: 47.04)

7		8			2			
		3					2	1
2			6	7			5	
		2			1		4	
	7		2		5		6	
	4		9			2		
	2			8	4			6
3	6					4		
			1			5		3

Puzzle #86 (Medium, Difficulty Rating: 51.94)

		5						
					7	9		
	1	4	5				8	
4				5		1		2
1	3	7	2		4	8	5	6
8		2		6				9
	7				8	4	6	
		9	4					
						5		

Puzzle #87 (Medium, Difficulty Rating: 46.06)

		3		7				
		1				9		
7		4	5		6			
5		9	7	6			1	
	3	2				6	8	
	6			1	2	5		4
			1		4	2		6
		5				7		
				3		8		

Puzzle #88 (Medium, Difficulty Rating: 50.96)

3	2							4
1		6		7	5		3	
				4		7		
	6		1	2				
7		1				3		9
				9	3		8	
		4		3				
	3		8	1		5		2
8							9	3

Puzzle #89 (Medium, Difficulty Rating: 46.06)

				5				1
5				3		7		
4					8	2		
8	9		3	7		6		2
			4	8	2			
2		7		1	6		8	5
		6	8					3
		8		6				7
7				4				

Puzzle #90 (Medium, Difficulty Rating: 44.10)

	4							
9			7		6			1
1				2		3	8	7
		8				7		4
	7		3		8		6	
6		9				1		
5	6	2		8				9
8			6		4			3
							1	

		1			9			
	3				5	7		
7			2			4	3	6
					8		7	
9	4	8				2	6	5
	7		5					
5	1	9			2			7
		7	6				8	
			1			3		

Puzzle #92 (Medium, Difficulty Rating: 56.84)

	8	2		7				6
			1					
7	9	4	5		2	3		
			7					3
	5	3				7	4	
6					1			
		7	6		9	8	3	5
					7			
3				1		2	9	

Puzzle #93 (Medium, Difficulty Rating: 49.98)

5		8	1	4				
		2			5			
	9	3		6	7			5
9						7	3	
	5						6	
	2	4						1
8			2	5		6	9	
			4			5		
				7	9	8		4

Puzzle #94 (Medium, Difficulty Rating: 47.04)

			7				6	
			1		6			4
9	3		8			7		5
			4	8		5	7	
		1				2		
	8	3		9	5			
3		7			8		5	1
6			9		3			
	2				4			

Puzzle #95 (Medium, Difficulty Rating: 55.86)

		1						
	9		2			4		3
	8		5		9			
	4	5		7		1	9	2
			6		1			
7	1	3		2		6	4	
			7		2		6	
1		9			4		7	
						8		

Puzzle #96 (Medium, Difficulty Rating: 56.84)

1			9	4		6		8
		7		1			3	
	4		5	2				
	5			9	8		1	
	9		2	6			5	
				8	4		6	
	6			3		1		
3		2		5	9			7

Puzzle #97 (Medium, Difficulty Rating: 48.02)

				5	3	4	7	9
		5	4			8		
3						1		
7			5					
6		4	3		2	9		5
					9			2
		6						4
		3			6	5		
4	7	1	9	3				

Puzzle #98 (Medium, Difficulty Rating: 57.82)

5	9	1			8	4	3	
8					1			
		6	3	5				8
	5					3		4
				1				
4		3					2	
7				9	2	1		
			5					7
	8	2	1			6	9	5

Puzzle #99 (Medium, Difficulty Rating: 49.98)

6				8		1		
	8		4			9		6
	1		9			4		7
	2		8				1	
8								2
	6				7		9	
2		1			5		6	
4		8			2		5	
		6		9				4

Puzzle #100 (Medium, Difficulty Rating: 58.80)

3		4		1	2	8		6
						9		
2			4	9	6			5
		9			8			
	5						8	
			9			7		
7			1	4	9			8
		3						
9		8	6	3		4		2

Puzzle #101 (Medium, Difficulty Rating: 46.06)

	7		2				4	
1							8	
8		2			3			7
9		4					1	
3	6		8	5	1		2	9
	1					7		8
7			6			5		4
	9							6
	5				2		7	

Puzzle #102 (Medium, Difficulty Rating: 48.02)

	9	6			7			
1								8
8		5	2	3	9		1	
6	7					5	3	
	1	8					7	4
	5		3	2	6	8		7
7								1
			1			4	6	

Puzzle #103 (Medium, Difficulty Rating: 46.06)

8								1
5	2		9			7	4	
					8		9	
	1		7	9		5		
	9		1		2		6	
		2		5	4		7	
	4		6					
	8	6			5		1	3
3								7

Puzzle #104 (Medium, Difficulty Rating: 47.04)

				8		7		6
	5		7	1				4
			6			8		1
2	3		4				1	
		4				3		
	1				9		6	8
3		2			5			
5				7	8		4	
9		7		3				

Puzzle #105 (Medium, Difficulty Rating: 53.90)

1	5					6		
	7	3			2			5
			5			4		
	4	6	9	1				
5		7				1		9
			7	3	5	6		
		2			7			
4			6			7	8	
		1					5	2

Puzzle #106 (Medium, Difficulty Rating: 49.98)

3	2			8	9			
6		4			1			
		1		7			2	5
5						2		
2			7	5	3			8
		3						4
1	7			3		9		
			6			1		2
			8	1			5	3

Puzzle #107 (Medium, Difficulty Rating: 50.96)

		1		2	6		5	
		8	9		1		3	7
			5					
	7		2				4	6
	4						9	
9	5				8		2	
					7			
2	8		1		4	3		
	1		8	3		9		

Puzzle #108 (Medium, Difficulty Rating: 49.00)

			4	5		3	8	
					7			1
5							4	6
		1		3	9			7
	8		6		4		1	
9			1	8		4		
8	3							2
1			3					
	6	9	7	5				

Puzzle #109 (Medium, Difficulty Rating: 54.88)

			8		7			
6			5	4	9		2	
				3		5		7
				8		2		
7	9	1		2		8	3	6
		3		7				
3		4		5				
	1		3	9	4			5
			7		6			

Puzzle #110 (Medium, Difficulty Rating: 52.92)

7				9		8		
		2			7			5
6			8	1			7	
	6						3	1
	7	1		8		2	5	
9	3						6	
	2			6	8			3
3			5			9		
		4		3				6

Puzzle #111 (Medium, Difficulty Rating: 49.98)

			9			1	7	
7					2			
9		6	5				2	8
2			6	4				
4		7				6		2
				9	3			1
6	3				9	8		7
			4					3
	8	2			6			

Puzzle #112 (Medium, Difficulty Rating: 50.96)

					6	8	5	
1						4		6
		8		1			9	3
		9	5	4	3			
		5		6		7		
			8	7	2	5		
2	3			9		1		
9		1						5
	8	6	3					

Puzzle #113 (Medium, Difficulty Rating: 55.86)

					1	4		
				6			8	
4		5		3	7			2
		9	1			2		
7	4	3		5		6	9	1
		1			6	3		
3			4	7		9		6
	9			8				
		6	3					

Puzzle #114 (Medium, Difficulty Rating: 56.84)

8		5			1	9	3	4
	3				9			6
						2		
4	5							
6		3	4		7	8		9
							6	1
		1						
5			9				4	
7	4	8	6			5		2

Puzzle #115 (Medium, Difficulty Rating: 49.00)

		5	6		8		9	
7	2	1		4		8		
			2					
8	7				4			1
		4				7		
5			3				8	4
					1			
		7		3		9	6	5
	4		7		6	2		

Puzzle #116 (Medium, Difficulty Rating: 49.00)

4	6					2		9
2						3		1
				2	5	4		
1		4	8					
		5	6		7	8		
					1	9		7
		6	5	8				
5		1						4
8		2					9	6

Puzzle #117 (Medium, Difficulty Rating: 51.94)

5							3	
	4	7			8			
9			1	3	4	8		
		4	8					3
	3	6				9	1	
8					6	5		
		8	4	2	5			1
			7			2	5	
	2							7

Puzzle #118 (Medium, Difficulty Rating: 50.96)

3	9				1			
				7		3	4	
5				8	3	6		
		5			9	4	8	
			7		6			
	6	2	5			1		
		4	1	9				5
	7	9		5				
			8				7	1

Puzzle #119 (Medium, Difficulty Rating: 50.96)

5					9			
	6						3	2
		3	8	5	6		9	
				3		2		6
	7	2				3	4	
3		1		6				
	3		2	8	4	9		
1	4						2	
			1					5

Puzzle #120 (Medium, Difficulty Rating: 53.90)

1	6			2			7	
		9			6			5
				1	7			
3						5	4	
7	4		8		3		9	2
	9	5						3
			1	8				
6			4			7		
	1			7			2	4

Puzzle #121 (Medium, Difficulty Rating: 48.02)

		1	7		3			
2		4	6			7		
				1		5		6
6					7	3	4	
4								7
	5	3	1					9
1		9		7				
		5			1	6		8
			4		5	2		

Puzzle #122 (Medium, Difficulty Rating: 54.88)

			8				7	6
7	9						3	1
	1			7	3			
3			2		6			
1			4		9			2
			7		1			8
			1	6			5	
2	5						8	9
4	3				8			

Puzzle #123 (Medium, Difficulty Rating: 55.86)

5			7		6		3	
	3				2	7	4	
	2			5				6
	9		8					1
6				4				2
1				3		7		
3				9			1	
	6	8	5				2	
	1		6		8			3

Puzzle #124 (Medium, Difficulty Rating: 46.06)

		7			9	8	2	
			2			6		
4		2		8	1			5
	5				3	7		1
2		6	1				4	
9			6	3		1		7
		3			5			
	8	5	7			3		

Puzzle #125 (Medium, Difficulty Rating: 50.96)

	7	4		2			1	8
				5		4	7	3
1						6		
					8	1		
		8	1	3	7	9		
		7	6					
		5						1
4	2	1		7				
8	3			1		7	2	

Puzzle #126 (Medium, Difficulty Rating: 48.02)

			5		7			
2		5		1	4			6
	7		2	8				9
	4	6						
9			1	5	3			7
						2	1	
3				7	1		8	
6			3	9		7		2
			8		2			

Puzzle #127 (Medium, Difficulty Rating: 45.08)

			4	2				3
3	6	4			7		2	
5			6					
6	7		2					1
9				1				2
8					3		5	6
					8			5
	1		7			9	3	8
7				9	2			

Puzzle #128 (Medium, Difficulty Rating: 50.96)

		6			1		5	
2						8		7
	5		8	4				1
4		5		3		9	6	
				6				
	6	3		9		1		5
5				7	9		1	
9		1						6
	4		3			2		

Puzzle #129 (Medium, Difficulty Rating: 47.04)

	5				6	4		
7	1				2	6		5
	2				4		9	
		7	8		1			
	8						4	
			3		5	8		
	3		4				2	
6		8	2				7	1
		2	1				8	

Puzzle #130 (Medium, Difficulty Rating: 47.04)

7			1				9	
2				3	9	7		1
		5						
			8		4	9		
	6	8	7		1	4	5	
		4	3		5			
						2		
4		2	9	8				3
	3				7			5

Puzzle #131 (Medium, Difficulty Rating: 51.94)

2		5					8	
	1			5	7			
		9		2	1	4		
	3		2	1				5
	6						2	
8				4	9		7	
		3	1	9		5		
			3	7			1	
	9					6		7

Puzzle #132 (Medium, Difficulty Rating: 49.00)

	3	6		1	8			
		9			6		1	7
				3	2			4
	1	3						6
			3	9	1			
9						1	3	
8			6	4				
1	9		8			4		
			1	2		5	7	

Puzzle #133 (Medium, Difficulty Rating: 49.98)

		5			1			
			7	2	6		4	
	2					1		8
	7	4	3	8		6		
5								1
		3		9	5	8	7	
9		2					3	
	3		2	1	4			
			9			7		

Puzzle #134 (Medium, Difficulty Rating: 55.86)

	5			3	2	8	9	
					5			
		7	4	8				
	2	6		5				9
		8	9	4	3	1		
4				1		5	8	
				7	1	2		
		6						
	3	2	5	9			1	

Puzzle #135 (Medium, Difficulty Rating: 45.08)

	5	2		4			3	9
					6		2	
8				9	2	4		
							6	2
3			9	1	5			4
9	8							
		7	2	6				8
	4		7					
6	1			3		2	7	

Puzzle #136 (Medium, Difficulty Rating: 49.00)

6					3			7
	4		7				3	
	9			5		4		
	2	9			6			3
8		3				9		2
4			3			6	5	
		8		9			7	
	5				7		6	
7			8					5

Puzzle #137 (Medium, Difficulty Rating: 52.92)

2		4			1	8		
6				7	4			
9		1						
		5		2			8	3
3	8			4			6	7
1	6			3		5		
						3		2
			2	5				6
		3	6			4		8

Puzzle #138 (Medium, Difficulty Rating: 57.82)

	6			2		5		7
9					5			
3		5	1				9	
		2	9	5	3			
	7						2	
			8	7	2	1		
	9				8	6		5
			5					2
8		3		1			7	

Puzzle #139 (Medium, Difficulty Rating: 51.94)

		8					1	4
		9		2				7
7	4		5			8		
				1	7	9	5	3
6	5	3	4	9				
		2			3		9	6
3				6		2		
9	6					3		

Puzzle #140 (Medium, Difficulty Rating: 47.04)

5		8				1		6
					3			
	1					9	2	
3	8	1		9			7	
9			4		2			1
	6			8		3	9	5
	9	3					6	
			1					
8		6				7		4

Puzzle #141 (Medium, Difficulty Rating: 47.04)

3		5	7			8		6
	1			4	9			
	2			6				
		1	5		7		6	
7								1
	5		4		6	3		
				3			5	
			6	7			2	
4		3			2	7		9

Puzzle #142 (Medium, Difficulty Rating: 55.86)

	1				4			
7						8		3
3					1	6	4	9
9	2	7			6			
			9		7			
			4			9	7	5
6	9	4	3					1
2		1						4
			1				9	

Puzzle #143 (Medium, Difficulty Rating: 50.96)

4	9							2
		7	6				1	
8	3	1		5				
	4		1	9		7		
			2		6			
		2		4	7		9	
				6		2	3	9
	6				9	5		
5							4	1

Puzzle #144 (Medium, Difficulty Rating: 52.92)

		8	4		7			
	1						7	
			2	5			8	9
	8	1		4			3	
		9	8		2	5		
	5			9		8	2	
1	2			6	3			
	4						6	
			9		4	1		

Puzzle #145 (Medium, Difficulty Rating: 49.00)

	3	8					5	
	7		1		5		8	
					7	3	4	
		6	7			5		
	9	5		6		7	3	
		4			1	6		
	6	9	5					
	1		6		4		7	
	4					2	6	

Puzzle #146 (Medium, Difficulty Rating: 55.86)

		1	3				9	
			8		6			
	9				4	5		7
		6				7	1	
9	3		6		8		2	5
	1	4				6		
4		9	2				7	
			4		3			
	2				1	8		

Puzzle #147 (Medium, Difficulty Rating: 47.04)

		8	6	5	2		7	1
5						9		
			8			5		3
	8		5			7	6	
				2				
	6	9			8		4	
3		7		4				
		1						7
8	9		2	7	1	3		

Puzzle #148 (Medium, Difficulty Rating: 49.98)

7					1			
6	2	1		4				
4			8	3			1	
	5		2	1				
3		2				6		1
				8	3		4	
	6			5	9			8
				2		9	6	5
			6					2

Puzzle #149 (Medium, Difficulty Rating: 49.00)

					3	4		1
1	9		6	4			8	5
					9			
5		9						7
	4	6				9	5	
7						2		4
			1					
4	3			2	8		6	9
2		5	4					

Puzzle #150 (Medium, Difficulty Rating: 47.04)

	1	5	6			8		
	9			2				
8			4			6	9	2
3		7		6				
		1				2		
				8		4		3
7	5	8			1			9
				5			2	
		2			9	5	1	

Puzzle #151 (Medium, Difficulty Rating: 52.92)

4	3			5		1		
						4		7
			7	4		9	8	
	4				5			
7		1	3		8	5		6
			1				9	
	5	4		8	2			
6		3						
		9		3			5	1

Puzzle #152 (Medium, Difficulty Rating: 49.98)

		3			2	9		
		7	4	8			5	
		1				8		6
7	6		2			3		
1				6				5
		4			1		2	9
3		2				4		
	1			2	4	5		
		6	1			2		

Puzzle #153 (Medium, Difficulty Rating: 45.08)

6						8		1
	4				5		7	
			6	8	4		2	
			5			3	6	
	2		3		6		1	
	6	7			9			
	3		8	4	1			
	8		9				3	
1		5						2

Puzzle #154 (Medium, Difficulty Rating: 46.06)

3				6			7	
					4			5
2		8	9	5	3	4		
1	3			9	7			
			3	1			5	2
		9	1	8	5	2		4
8			6					
	5			3				9

	1	9		5				
4				7	1	8		
	2					4		3
7	4	3						2
	8			9			7	
1						5	8	4
9		8					4	
		1	6	4				9
				1		6	3	

1			7			4	8	
	4				8		5	7
9		7		3				
		4			7			
	3		2		1		9	
			4			8		
				1		5		6
5	1		9				3	
	2	8			5			1

Puzzle #157 (Medium, Difficulty Rating: 54.88)

		4	1					
	1							7
7		6	5	3			4	9
	9	1	3					
		5	6		9	4		
					4	3	9	
9	4			8	1	2		6
8							1	
					3	7		

Puzzle #158 (Medium, Difficulty Rating: 55.86)

2			9					3
		6	5				8	1
	3				8		9	
		7			9			
4	8		7		6		2	5
			1			4		
	1		8				7	
8	7				2	1		
6					1			2

Puzzle #159 (Medium, Difficulty Rating: 48.02)

			5	1				
6	8	1			9			
3	5						2	
4		6	8	3				
2	9						5	8
			4	2	7			3
	2						7	6
			1			8	4	9
			9	7				

Puzzle #160 (Medium, Difficulty Rating: 55.86)

		6				4	8	
4				2				
			7	4			6	3
8			3			6		
6		3	2		4	5		9
		2			7			8
1	3			9	6			
				3				4
	9	4				3		

Puzzle #161 (Medium, Difficulty Rating: 49.98)

	3			8				
		8	9			7	3	
7				6	4		9	
1		7	8				2	
		3				5		
	8				7	9		3
	1		2	3				9
	4	9			8	1		
				1			6	

Puzzle #162 (Medium, Difficulty Rating: 52.92)

			6		4		1	
	3	7	1					
6				8				9
		8					6	1
9	5	2		1		4	3	8
3	6					9		
2				6				5
					5	7	2	
	4		8		1			

Puzzle #163 (Medium, Difficulty Rating: 56.84)

			8		1			
	6					3		
8		9		6				2
2	9		5	4			1	7
	7						4	
4	5			9	8		3	6
6				3		1		8
		2					9	
			1		7			

Puzzle #164 (Medium, Difficulty Rating: 57.82)

					9	2		1
		2	5	4		9		
	6					5		3
			9	1			7	
7		1				8		6
	2			6	8			
9		4					1	
		7		9	5	4		
2		6	4					

Puzzle #165 (Medium, Difficulty Rating: 45.08)

			5	4			8	
			1	7		4	9	6
				8		1		
		2				3	6	8
	3						4	
6	1	7				9		
		5		1				
3	2	1		6	4			
	8			5	3			

Puzzle #166 (Medium, Difficulty Rating: 54.88)

		5			1	3		2
		1	3	7	2			
			4	9				8
3						8		
	5		2		6		4	
		9						7
5				2	4			
			5	1	8	6		
4		2	7			5		

Puzzle #167 (Medium, Difficulty Rating: 49.00)

1	2		6		4			
	3	4		8				
8	9				5		2	
3		8						
	1	2				4	3	
						9		7
	6		2				5	8
				4		7	6	
			9		6		4	1

Puzzle #168 (Medium, Difficulty Rating: 48.02)

				1		4		6
	8	1	4				5	
6	9					3	1	
	7	5			3			
9				5				4
			8			5	6	
	2	9					7	5
	1				2	8	9	
5		7		6				

Puzzle #169 (Medium, Difficulty Rating: 49.00)

			4	1		9		
	1		7	9				3
				3	2		5	4
7	9							
5		6				4		1
							2	7
3	6		2	5				
9				6	4		3	
		7		8	9			

Puzzle #170 (Medium, Difficulty Rating: 48.02)

2			8				6	4
							5	3
	9		6			7		
4	5	1		9				
		9	5		6	1		
				2		4	9	5
		2			5		7	
8	4							
7	3				9			8

Puzzle #171 (Medium, Difficulty Rating: 57.82)

1			4	3		7		
		6				3	4	2
8					2		5	
			8				9	3
	1						2	
2	8				3			
	9		1					7
3	6	7				4		
		1		7	4			8

Puzzle #172 (Medium, Difficulty Rating: 49.00)

		7		5	9		6	
9		5	2			4	3	
		6						
	4			6		7	1	
			3		8			
	6	8		7			9	
						3		
	7	3			1	8		4
	2		4	3		6		

Puzzle #173 (Medium, Difficulty Rating: 57.82)

8	7	5	3		6			
			1	8			3	
1			9		7			6
		4						9
7				3				4
5						6		
9			6		2			7
	6			7	8			
			5		3	1	6	8

Puzzle #174 (Medium, Difficulty Rating: 53.90)

		2			7	8	1	3
9			1					2
4	1		3					7
		6	9				7	
	5				8	4		
6					9		3	4
2					3			6
1	3	4	8			9		

Puzzle #175 (Medium, Difficulty Rating: 49.00)

	5				7			
	1	9			6			
7	2				5			4
						7		1
8	4	1	7	5	2	3	6	9
3		2						
1			5				7	3
			3			8	9	
			2				4	

Puzzle #176 (Medium, Difficulty Rating: 56.84)

8			9				7	
			6			4		2
1		6		7				
		5			9		4	7
3			7	5	8			1
7	2		4			9		
				9		7		5
9		7			3			
	5				7			8

Puzzle #177 (Medium, Difficulty Rating: 56.84)

2				5				9
	5				1		4	
		4	3			5		1
		2			6			8
	3		8		2		6	
8			5			4		
7		3			5	8		
	8		7				5	
6				4				7

Puzzle #178 (Medium, Difficulty Rating: 54.88)

1				5	3	4		
						5		7
	8			7			3	
6			3		8	9	5	
		4		6		1		
	3	8	5		1			4
	2			3			9	
3		9						
		5	7	1				6

Puzzle #179 (Medium, Difficulty Rating: 44.10)

	7	9	4	1			6	5
				7				
3		6		5				1
		1	6					7
	3			9			4	
4					1	2		
7				2		6		4
				8				
5	8			6	3	7	2	

Puzzle #180 (Medium, Difficulty Rating: 44.10)

	9	8		5	2			
	7	1		3	8	6		5
	3	2		4				
		9						
3				7				4
						7		
				9		4	3	
1		3	5	2		9	7	
			7	6		1	5	

Puzzle #181 (Medium, Difficulty Rating: 45.08)

		9					5	
2					3	4		
	6	7	4					
		5			9		1	7
3		4	2		5	9		6
9	1		7			2		
					8	5	3	
		3	5					9
	4					8		

Puzzle #182 (Medium, Difficulty Rating: 53.90)

3		2		6				
		1	2	5				
5			9	8	1		7	
		6						1
	2	7				3	5	
1						7		
	4		1	2	8			6
				3	5	8		
				9		5		7

Puzzle #183 (Medium, Difficulty Rating: 46.06)

2	9		5	8			3	1
	3					5		7
				9				
5		9	1					
	6		3		9		1	
				8	9			2
			4					
8		1					2	
3	4			6	1		8	9

Puzzle #184 (Medium, Difficulty Rating: 56.84)

		6	4		2			8
4					5	1	9	
		3		7				4
7		9	2					
	3						8	
					7	5		2
3				1		8		
	6	5	3					9
1			5		9	4		

Puzzle #185 (Medium, Difficulty Rating: 49.98)

5		3		7	9			
					4	1	5	6
		2				3		
		9		4				
	3	5	8		6	2	4	
				3		7		
		6				5		
3	2	7	4					
			7	6		9		3

Puzzle #186 (Medium, Difficulty Rating: 49.00)

	3		4			1		9
1			6	5		3		
9								
4			9		5			
6	8	7				9	2	5
			2		7			4
								2
		9		2	8			3
2		5			3		6	

Puzzle #187 (Medium, Difficulty Rating: 53.90)

		8		5				6
			4				3	1
9	6			1		4		
			5			3		2
2		5				1		7
7		4		6				
		7		4			2	3
3	4				5			
6				9		7		

Puzzle #188 (Medium, Difficulty Rating: 54.88)

1					7	2		
	4				3		6	8
	7							4
	5	4		7	9	3		
			5	3	4			
		9	1	2		8	4	
3							5	
5	6		3				7	
		1	7					3

Puzzle #189 (Medium, Difficulty Rating: 56.84)

4	3					2		1
		6			3		7	4
	5				1	3		
			1				2	
6			9		7			3
	1				8			
		1	8				9	
7	9		6			5		
8		4					3	2

Puzzle #190 (Medium, Difficulty Rating: 44.10)

9			5					8
		5		2	8		9	
1				9		2		6
						7	8	
	6		7		1		3	
	2	1						
2		6		7				5
	1		8	3		6		
3					4			9

Puzzle #191 (Medium, Difficulty Rating: 56.84)

6				4	2			
	9		1				6	3
1		5			6			
		9				8	3	2
7								5
5	2	8				6		
			2			4		1
8	7				4		9	
			6	3				8

Puzzle #192 (Medium, Difficulty Rating: 54.88)

	1			9			2	8
9			2	8	4		7	6
				6		5		
7		2	4					
				1				
					6	9		2
		5		2				
8	6		3	7	1			5
2	3			4			8	

Puzzle #193 (Medium, Difficulty Rating: 49.98)

		9	8				3	
	3	4			9			
8	1			3				
5		2		8	6	9	7	
	6	7	9	2		8		1
				1			8	9
			4			3	6	
	9				5	2		

Puzzle #194 (Medium, Difficulty Rating: 58.80)

								7
	5			6		3	9	
9		6	3	1			8	
5		7						8
	4		5		6		7	
2						5		6
	1			3	5	7		9
	2	8		4			5	
7								

Puzzle #195 (Medium, Difficulty Rating: 52.92)

	2		3		9			
	6		5	7				
9					4		5	1
			6	5		7		4
	4						9	
8		3		9	7			
6	1		9					7
				4	6		2	
			2		5		6	

Puzzle #196 (Medium, Difficulty Rating: 52.92)

8	9							
2		6	8		9			
3		4			6	2		
		5	2	6				4
	3						5	
9				7	3	6		
		9	6			5		3
			9		4	7		2
							4	8

Puzzle #197 (Medium, Difficulty Rating: 52.92)

		7				8	2	
	2		8			1		
		1		6	2			
1				7	9	4	8	
		9				3		
	7	5	3	8				1
			9	4		2		
		2			8		7	
	5	3				6		

Puzzle #198 (Medium, Difficulty Rating: 52.92)

			7				5	
	1	8			6		3	4
		5	3	8				9
3					5			8
	5						2	
9			2					5
2				1	4	9		
5	3		8			6	4	
	4				7			

Puzzle #199 (Medium, Difficulty Rating: 50.96)

6		3		2				8
		9	3	1		7		
	2		9			1		
		6			3			
5		1				3		4
			4			8		
		8			2		5	
		5		8	9	4		
4				3		2		9

Puzzle #200 (Medium, Difficulty Rating: 50.96)

6						9		
	1		8				5	
5	9	7	2					6
9				4	2		7	
			3	5	9			
	5		1	8				2
1					5	2	3	8
	4				8		6	
		3						9

Puzzle #201 (Medium, Difficulty Rating: 49.98)

						3	1	2
	4				3	9		7
	1		9	2		8		
8			3		2	5		
				6				
		2	8		1			6
		9		7	6		5	
5		7	1				8	
4	3	6						

Puzzle #202 (Medium, Difficulty Rating: 44.10)

5		2				3		
3				7				
	7			3	5	9		
	2	7			1		9	
1	3						5	4
	8		7			1	3	
		4	2	9			1	
				1				9
		9				8		6

Puzzle #203 (Medium, Difficulty Rating: 49.98)

				7		4	5	
		4		2	5		9	
	7		9					2
3	9	5						8
	8						4	
2						7	6	3
9					6		1	
	6		8	3		9		
	5	7		9				

Puzzle #204 (Medium, Difficulty Rating: 47.04)

			1		9			
1		7	4			5		
	4		7	2	5			
	5					4	6	1
		2		5		9		
4	6	8					5	
			3	4	7		2	
		1			2	7		4
			8		6			

Puzzle #205 (Medium, Difficulty Rating: 53.90)

			2					
	8	2	1			4		7
				3		8	9	2
		5	7					3
3	6						8	9
7					6	1		
9	1	8		2				
2		6			7	9	4	
				3				

Puzzle #206 (Medium, Difficulty Rating: 53.90)

				9		4		3
	5		8		3	7		
3		8						
	7				6	9		
1		4	7		9	6		2
		9	2				5	
						5		4
		5	9		7		1	
9		3		6				

Puzzle #207 (Medium, Difficulty Rating: 57.82)

		4	5			3		
	5			1		9		6
9					3			
	8	3					2	4
2		5				1		3
4	6					5	9	
			3					5
8		7		6			3	
		9			2	4		

Puzzle #208 (Medium, Difficulty Rating: 44.10)

2	8	5						
		1			8	7		
7			9			6	8	
3	1		7	5			6	
				3				
	7			4	6		3	5
	6	7			2			4
		9	5			8		
						5	2	7

Puzzle #209 (Medium, Difficulty Rating: 52.92)

		4		9		7	6	5
	6	5						
	9				8			1
			7		2	4	1	
	2			8			7	
	7	6	1		4			
9			4				2	
						8	3	
6	1	7		2		9		

Puzzle #210 (Medium, Difficulty Rating: 54.88)

4			3		1	5		2
		8					1	
		5		7	4		3	
6		1				3		
	4			5			2	
		2				7		8
	2		8	4		9		
	6					2		
5		7	9		2			1

Puzzle #211 (Medium, Difficulty Rating: 51.94)

				5	8	6		7
					3	1	4	9
							2	
6		4	9				5	
9			6		5			3
	5				7	2		6
	9							
5	1	3	4					
8		2	5	3				

Puzzle #212 (Medium, Difficulty Rating: 48.02)

						5		
		4			8	9	1	
		5	9	1	4	3	6	2
			6					
6			8	2	1			9
					7			
1	5	8	2	3	9	7		
	7	6	1			8		
		3						

Puzzle #213 (Medium, Difficulty Rating: 46.06)

	4			2				
			8	4		3	1	
	7	1	5					
	3		9	4			6	
	1		7		8		9	
	9			1	3		5	
					1	2	4	
	6	4	8	5				
				7			3	

Puzzle #214 (Medium, Difficulty Rating: 54.88)

	4	1		5		2		9
						8	3	
		7	8				4	
	6			3		9		4
			6	7	9			
9		3		1			6	
	3				2	4		
	7	9						
1		8		4		6	5	

Puzzle #215 (Medium, Difficulty Rating: 57.82)

			6	5			4	
				2			3	9
	5	3			9	6		
1		6				8		
	3	8				7	9	
		5				3		4
		1	8			9	7	
7	8			6				
	9			3	7			

Puzzle #216 (Medium, Difficulty Rating: 48.02)

			6		5	4	3	
	3				7	1		6
		4	2					9
		9	1		6			
3				7				4
			5		9	8		
4					1	5		
8		3	7				9	
	9	2	3		8			

Puzzle #217 (Medium, Difficulty Rating: 50.96)

	9				2			7
	6			5			9	
2			7	9				
9			1	2	7		6	
		6				4		
	2		8	4	6			3
				1	3			5
	1			6			4	
6			9				8	

Puzzle #218 (Medium, Difficulty Rating: 57.82)

			3					2
	2	3			5			6
			2	9		5		
	5	6				4		1
2		9				7		5
1		7				3	8	
		8		4	3			
4			9			8	5	
3					1			

Puzzle #219 (Medium, Difficulty Rating: 55.86)

		6		8	1			
	7		6				1	
		2		7	4	3		9
	1				8			
8	2			6			5	3
			9				2	
5		8	4	1		2		
	4				6		8	
			8	9		5		

Puzzle #220 (Medium, Difficulty Rating: 49.98)

7				3	2	8		
		8	6	1	7		4	
6							7	
8			1					
	7	2				3	5	
					9			8
	3							4
	6		4	7	8	5		
		9	3	6				2

Puzzle #221 (Medium, Difficulty Rating: 53.90)

7			9					
4				2	1			
			8	4		6	3	
		6		3	9		1	8
		9				5		
8	4		1	6		3		
	2	8		1	6			
			5	9				2
					2			7

Puzzle #222 (Medium, Difficulty Rating: 48.02)

4				5		1	6	
	6		7		8			
	7		6		4			8
		1				4		6
		5				3		
6		8				2		
2			3		6		5	
			8		1		9	
	1	7		2				4

Puzzle #223 (Medium, Difficulty Rating: 52.92)

		9		4			8	
	4		7	9		2	3	
	1	2						
		1	5	2		4	7	
	7	3		6	8	1		
						8	2	
	3	6		8	7		5	
	9			5		3		

Puzzle #224 (Medium, Difficulty Rating: 46.06)

8	2					1		
	9		2		7	8		
	1			5		6		
1		2		4		3		
			3		6			
		6		7		5		8
		1		3			7	
		7	6		1		5	
		9					8	1

Puzzle #225 (Medium, Difficulty Rating: 54.88)

		2	6	3				7
		7					2	3
9	3		2			8		4
1						5		
			5	4	1			
		5						9
7		9			5		8	6
6	5					3		
8				7	6	2		

Puzzle #226 (Medium, Difficulty Rating: 49.98)

		2						
	7	6			5	3		
	5			3				6
8	9	4	5	7			1	
			6	9	8			
	6			2	1	8	9	3
7				1			3	
		3	9			2	4	
						9		

Puzzle #227 (Medium, Difficulty Rating: 48.02)

6	3					7		
	9				1		6	2
				8		1		
		8	4				2	5
2		3				8		7
4	5				7	9		
		7		3				
1	6		2				9	
		9					7	6

Puzzle #228 (Medium, Difficulty Rating: 49.00)

9		2					3	
			1				6	4
6			2	7		1		
4					6	9		
1		7		2		6		5
		6	5					1
		1		4	2			6
2	6				5			
	7					4		8

Puzzle #229 (Medium, Difficulty Rating: 49.00)

		3	9					
	6	1		8			9	
	8		5			6		3
			7	2		8	3	
		7		5		9		
	5	2		6	3			
2		6		5			7	
	4			7		3	6	
					4	1		

Puzzle #230 (Medium, Difficulty Rating: 47.04)

3		1	6			8		
9				8				2
					3		1	6
	8	6		2		4		
7								1
		9		5		6	2	
8	1		9					
5				4				3
		3			5	9		7

Puzzle #231 (Medium, Difficulty Rating: 49.00)

		1						3
3		6	4				5	2
			3		7	6		
9	8			3				
	6	3				8	2	
			8				3	1
		4	5		9			
2	3				4	1		6
7						2		

Puzzle #232 (Medium, Difficulty Rating: 47.04)

		9		6		5		
					9		7	
3		8	7	2			6	
			9					3
	9	6	3		1	7	5	
7					2			
	2			1	5	3		7
	8		2					
		7		8		6		

Puzzle #233 (Medium, Difficulty Rating: 47.04)

			6				5	4
		6		7	5		3	
		8	3				1	
			1			4	7	
	8		4		6		2	
	5	2			3			
	1				9	8		
	3		8	1		5		
8	7				4			

Puzzle #234 (Medium, Difficulty Rating: 48.02)

				2	1	6		
	1			8	7			
	3				5		9	
3	5					9		4
6		1				5		7
8		9					3	6
	9		8				2	
			4	3			6	
		8	1	5				

Puzzle #235 (Medium, Difficulty Rating: 55.86)

		5	1		7	2	4	
		9			4			
			5		3		9	8
9	2					5		
	7			5			3	
		1					6	2
6	9		4		2			
			9			4		
	1	4	6		8	7		

Puzzle #236 (Medium, Difficulty Rating: 45.08)

			6				9	4
8	1	6			9			
			2	3	1		5	8
								9
	5	9				8	2	
4								
2	3		7	1	6			
			5			7	4	3
5	7				4			

Puzzle #237 (Medium, Difficulty Rating: 55.86)

			4		6		9	7
9			3	2			5	
			7	5		6		
	3				7			9
	5			4			1	
8			9				7	
		5		9	4			
	9			7	3			6
3	4		8		1			

Puzzle #238 (Medium, Difficulty Rating: 50.96)

		3						1
1	2	7		6	5			
			1	9		2		
	8		7				4	
3		5				7		9
	7				2		3	
		8		2	3			
			8	1		4	6	2
4						3		

Puzzle #239 (Medium, Difficulty Rating: 52.92)

	9	7			5			2
			8	7	2			5
5			4			8	1	
						3		
	5		2		6		8	
		6						
	4	9			8			3
2			7	6	9			
6			1			9	2	

Puzzle #240 (Medium, Difficulty Rating: 48.02)

	6	5	9			7	4	
	4		5	7	8			
		9				5	2	
9				8				
			1		7			
				9				3
	5	8				6		
			2	4	5		8	
	7	3			1	2	9	

Puzzle #241 (Medium, Difficulty Rating: 47.04)

	6	2			5	1		
5		1					7	
		8		6		5		
			8			9		3
		7	6		3	8		
3		5			2			
		3		9		4		
	7					6		1
		9	4			3	8	

Puzzle #242 (Medium, Difficulty Rating: 52.92)

		6					3	
		4	8					
	7		9	6	4			
3		7	4				5	1
		2	7		1	8		
8	4				2	7		3
			1	7	9		2	
					5	3		
	1					6		

Puzzle #243 (Medium, Difficulty Rating: 49.00)

	4					2		
9	5	2		6	3			
	6		2		1		8	
		7		8			4	5
6	3			9		7		
	8		7		5		9	
			6	1		8	3	4
		9					5	

Puzzle #244 (Medium, Difficulty Rating: 48.02)

			4		3		5	7
7		9			5	8	6	
		1						
4					7	5	1	
9				4				6
	7	6	5					8
						6		
	1	3	9			2		5
5	2		6		1			

Puzzle #245 (Medium, Difficulty Rating: 47.04)

		5				4	3	
			4	8				
	3			9		2		8
6				7			4	5
7		3				9		2
4	5			1				7
3		9		6			8	
				4	9			
	4	6				5		

Puzzle #246 (Medium, Difficulty Rating: 49.00)

	5		8	9	2		6	
	7	1	4					
	8				1			4
8					5	6		
			9		7			
		5	1					9
4			7				1	
					8	7	5	
	3		6	1	9		4	

Puzzle #247 (Medium, Difficulty Rating: 54.88)

		2				4		
					8		5	9
	5	6					8	3
	6		5		7			
1	7		8		2		9	4
			9		4		6	
6	4					8	7	
2	3		1					
		7				1		

Puzzle #248 (Medium, Difficulty Rating: 48.02)

				1				
2					6		1	8
7	1	6		5	2			
	3	9						4
	7		5		1		2	
5						8	3	
			4	8		1	7	2
4	8		2					3
				6				

Puzzle #249 (Medium, Difficulty Rating: 53.90)

4		6		9			8	
3					5			
7					6	3		
	6			5	1	7	2	
		6		7				
	4	7	2	3			9	
		2	5					8
			8					2
	3			2		6		1

Puzzle #250 (Medium, Difficulty Rating: 49.98)

		4				9		7
			8	9			6	2
		5			1	4	8	
4	2			8			7	
	7			6			2	1
	5	8	6			2		
1	4			2	8			
7		2				1		

Puzzle #251 (Medium, Difficulty Rating: 53.90)

			7	6			4	
7						3		9
4				2			6	7
						4	5	6
	2		1		4		3	
5	4	8						
3	7			8				1
9		5						4
	8			4	9			

Puzzle #252 (Medium, Difficulty Rating: 50.96)

			5			8		9
			9			2		
	7	1		8		6		
		5		2	6		8	3
3								7
1	6		8	3		5		
		6		9		3	5	
		9			3			
5		3			7			

Puzzle #253 (Medium, Difficulty Rating: 51.94)

			1					
3	4		9	5			6	2
2	7					4		
		6	3		1		5	
5				4				6
	3		5		9	8		
		4					8	3
7	5			3	2		4	1
					6			

Puzzle #254 (Medium, Difficulty Rating: 55.86)

6		1			7		5	
			5					
7					3	6		2
		9	6	2		4	3	
		4				9		
	1	7		5	9	2		
1		6	7					3
				2				
	3		9			7		1

Puzzle #255 (Medium, Difficulty Rating: 46.06)

1								
4		2	5		9			7
		8		4		2		1
					6		9	3
		3	9		8	4		
9	6		1					
5		1		9		8		
2			7		1	5		4
								2

Puzzle #256 (Medium, Difficulty Rating: 50.96)

	4				7	2		
			3			6		9
9	2		8				4	3
		4		7	3			
	3						5	
			2	1		9		
3	5				8		1	6
4		6			5			
		8	7				9	

Puzzle #257 (Medium, Difficulty Rating: 49.00)

				3			6	8
			1	6	8	2		
					4	9	3	1
	1	4						5
8								6
2						3	8	
4	5	3	6					
		7	8	4	1			
6	8			2				

Puzzle #258 (Medium, Difficulty Rating: 53.90)

8					9			3
		7	5		4	2		
		6		3		5	7	
5		9	2				1	
	4				3	9		2
	8	5		7		1		
		3	1		6	4		
6			3					7

Puzzle #259 (Medium, Difficulty Rating: 45.08)

					2	4		
	2				8	3	1	5
9					6	7		2
6	3							
		7	2		9	5		
							7	6
5		2	9					4
4	8	1	6				9	
		9	1					

Puzzle #260 (Medium, Difficulty Rating: 46.06)

				4	9		7	1
			8	6				
	2	9				6		
6			9		4			7
7	5						2	4
1			2		7			6
		7				8	5	
				7	8			
8	6		1	2				

Puzzle #261 (Medium, Difficulty Rating: 49.00)

				8			5	9
		6	3		9	2	7	
	1	7						6
6		8			3		4	
	2		1			6		8
3						9	6	
	6	4	9		2	7		
2	8			6				

Puzzle #262 (Medium, Difficulty Rating: 47.04)

3		1			2		6	
5	8					4	2	3
2					6			
			1		5		8	
1								7
	9		8		7			
			7					6
9	3	7					5	1
	5		2			9		8

Puzzle #263 (Medium, Difficulty Rating: 55.86)

	4	9						
	7		3				2	
2	6		1	9	7			
8		7		4				
4	3						1	5
				2		8		4
			4	6	5		8	3
	5				2		9	
						2	5	

Puzzle #264 (Medium, Difficulty Rating: 55.86)

						3	4	5
	6			5	4		1	
5		3						6
		8	2		6		3	
7				8				1
	3		9		5	4		
6						8		3
	7		6	3			5	
3	5	1						

Puzzle #265 (Medium, Difficulty Rating: 51.94)

9				7			1	
3	2	4				6		5
			4					
8			1		2		3	6
2				6				8
6	9		3		7			1
					8			
4		6				1	9	2
	3			9				7

Puzzle #266 (Medium, Difficulty Rating: 49.00)

		5	2				8	3
7				6			4	
8					3			7
			9			8		
	8	9	7		4	5	3	
		3			5			
5			3					4
	2			4				6
3	9				1	2		

Puzzle #267 (Medium, Difficulty Rating: 48.02)

7		9			6	5		
3			8	4				
						3		4
6	3		4				7	
	1		6		7		9	
	8				3		4	1
1		3						
				9	2			6
		6	7			1		9

Puzzle #268 (Medium, Difficulty Rating: 57.82)

		1	6				4	9
		4				7		
2	7				3			6
			3	2	9	4		
7								1
		9	1	5	7			
8			9				5	4
		2				1		
6	4				5	9		

Puzzle #269 (Medium, Difficulty Rating: 46.06)

			9			4		7
		1	2		3	5		
		5					3	1
	1	8		6				2
9								4
4				5		8	1	
3	2				4			
		9	3		5	7		
6		5			8			

Puzzle #270 (Medium, Difficulty Rating: 51.94)

			2				3	
	6			3				1
		3	6			5	9	
9				8	4			7
		8	7		3	1		
1			9	5				3
	5	7			1	9		
2				4			6	
	8				2			

Puzzle #271 (Medium, Difficulty Rating: 46.06)

2					8	1		
		8					9	
1	5				6			
7		9	4	3			8	
6			9		1			3
	3			5	7	9		1
			3				7	4
	7					3		
		6	7					2

Puzzle #272 (Medium, Difficulty Rating: 49.00)

	5							
4	8	3						
6	2	9	5					8
5	3			4				
2	7		3		6		9	1
				7			4	2
9					7	1	5	6
						8	7	9
							2	

Puzzle #273 (Medium, Difficulty Rating: 47.04)

1								
		7		4	1			
	6	9		2	8	4		
	2			9		8	7	4
7								9
9	4	3		1			6	
		2	6	7		5	4	
			4	5		3		
								7

Puzzle #274 (Medium, Difficulty Rating: 48.02)

		8	7					1
1		7			3			4
4				2		6	7	
6	3					2		
		4		1		8		
		9					1	6
	7	6		4				2
9			8			5		3
3					9	7		

Puzzle #275 (Medium, Difficulty Rating: 47.04)

							4	
	6	7		1	5		3	
		4			2	1	5	6
				9	1		8	
		5		4		2		
	8		3	5				
7	4	8	1			3		
	2		6	3		8	7	
	9							

Puzzle #276 (Medium, Difficulty Rating: 45.08)

2		5		3	6		8	
					7		2	1
7			4		2			
					9	3		
		9	7		4	6		
		4	3					
			6		3			5
6	3		2					
	5		1	4		7		6

Puzzle #277 (Medium, Difficulty Rating: 49.00)

		7			2		1	
	6		1					5
		1	3		4	2		6
					1	3		7
7				8				9
4		8	7					
2		9	4		3	5		
8					7		3	
	3		5			7		

Puzzle #278 (Medium, Difficulty Rating: 55.86)

			2		3		6	5
			4	5		8		1
			6	1				3
	1			3				
7		2				5		8
				7			2	
9				2	5			
1		8		9	6			
2	5		1		8			

Puzzle #279 (Medium, Difficulty Rating: 51.94)

	8			2		7		
7			6	8				1
6		3			7			
				5	6	9		2
8				9				7
2		7	8	3				
			5			6		9
5				6	1			3
		8		4			7	

Puzzle #280 (Medium, Difficulty Rating: 54.88)

9			5				8	
			2	7				
	5		6		4	9	2	
		6		3		1	9	
	9			6			5	
	1	8		4		7		
	2	9	4		8		7	
				2	6			
	6				7			5

Puzzle #281 (Medium, Difficulty Rating: 52.92)

2		8			9	7		3
	3			8				
	7		4		3		1	8
7					4			
		5				8		
			2					1
9	6		8		5		4	
				6			8	
8		1	7			9		6

Puzzle #282 (Medium, Difficulty Rating: 50.96)

	1	3						8
	9					2	7	
					5	6	4	
4	8			2	6			
1			4		9			2
			8	3			5	4
	4	9	6					
	6	1					3	
7						9	8	

Puzzle #283 (Medium, Difficulty Rating: 47.04)

	3	7						5
	9	5	2	1				
		6	7	5			3	
					7	4		
7			6		4			9
		8	1					
	1			4	8	7		
				7	2	5	9	
2						3	8	

Puzzle #284 (Medium, Difficulty Rating: 49.98)

				9		5	2	
				1		8	3	
2	6						1	4
	3				8			
1	9	4				6	7	8
			7				5	
9	7						4	5
	1	8		2				
	5	2		3				

Puzzle #285 (Medium, Difficulty Rating: 50.96)

2	9		5	4			6	
		8			3			
1								
7	1		4		2			6
6	2						4	3
8			6		7		2	1
								4
			8			3		
	4			1	9		5	2

Puzzle #286 (Medium, Difficulty Rating: 48.02)

8		9			6			
4		1			7		5	
			2		9	4		
	3	5	9		8			
		8		7		3		
			5		3	8	2	
		4	7		2			
	9		1			2		8
			8			9		7

Puzzle #287 (Medium, Difficulty Rating: 47.04)

9		6	4		7	5		1
		2	1				7	4
				5	8			
2		1	8					
					3	1		5
			6	9				
8	2					1	6	
1		7	3		5	9		2

Puzzle #288 (Medium, Difficulty Rating: 45.08)

1							2	
		7			4		9	
9				3	6	4		
	4	5		1	7			9
	8			5			4	
6			9	4		5	3	
		6	5	2				8
	2		8			3		
	9							2

Puzzle #289 (Medium, Difficulty Rating: 49.00)

	7	2	6					5
				5			1	9
		5				6	2	
	4			7	5			
	1	9		3		2	5	
			1	6			9	
	9	4				8		
7	8			4				
5					8	9	4	

Puzzle #290 (Medium, Difficulty Rating: 57.82)

		8	9	2				6
2	4	9		1	3		5	
3					6		7	
	7		4		2		8	
	6		7					5
	5		1	6		2	3	9
8				5	9	7		

Puzzle #291 (Medium, Difficulty Rating: 50.96)

		5				3		8
		6	9				7	2
		7			4	9		6
4				2				5
			8		9			
3				6				9
6		4	7			5		
7	5				2	4		
1		3				6		

Puzzle #292 (Medium, Difficulty Rating: 44.10)

		4		7	9			6
	6				5			1
				1		5	9	
	3		1			6	2	
	4						5	
	7	2			6		8	
	5	7		6				
2			5				6	
4			3	9		7		

Puzzle #293 (Medium, Difficulty Rating: 48.02)

		6		7	5		3	8
2	1			8	6			
	7			1				
1						4		7
	9			5			8	
8		7						5
				9			4	
			5	4			1	2
5	3		1	6		8		

Puzzle #294 (Medium, Difficulty Rating: 45.08)

			4	7	3	1		
4	3						8	
		1			6			7
7	1	8						3
6				1				9
9						6	7	1
1			8			3		
	7						9	8
		4	5	6	9			

Puzzle #295 (Medium, Difficulty Rating: 50.96)

	6	4		9			2	
	3				4	6	9	
		8	2				7	
		5	6				8	
7				5				6
	1				8	5		
	7				3	9		
	2	1	8				6	
	9			6		7	5	

Puzzle #296 (Medium, Difficulty Rating: 50.96)

	7	4		2			1	8
				5		4	7	3
1						6		
					8	1		
		8	1	3	7	9		
		7	6					
		5						1
4	2	1		7				
8	3			1		7	2	

Puzzle #297 (Medium, Difficulty Rating: 48.02)

		3		5	7		2	
	5					7		
			6				3	4
		6				1	9	5
	1	4		3		2	7	
9	7	5				8		
7	4				9			
		2					6	
	6		8	7		4		

Puzzle #298 (Medium, Difficulty Rating: 45.08)

	9		4	5				8
						3	4	
	8				2		9	6
5				9	4	2		
9				2				4
		2	6	3				1
4	3		8				1	
	2	8						
6				4	7		3	

Puzzle #299 (Medium, Difficulty Rating: 49.98)

	7	6		8				2
5			1				4	
		8		2		9		
4					8			
3	9		5		6		2	8
			4					9
		4		5		6		
	3				1			5
7				3		1	8	

Puzzle #300 (Medium, Difficulty Rating: 53.90)

		8	6	1		4		2
3							9	
	4		9		7			8
	7					8		
8			4	9	2			1
		9					6	
9			7		5		1	
	1							6
6		3		8	1	9		

Puzzle #301 (Medium, Difficulty Rating: 52.92)

		7	3					8
2	3		4					5
	1			8		2	6	
				4			2	
		3	6		8	5		
	6			7				
	7	2		5			3	
5					9		8	2
3					7	4		

Puzzle #302 (Medium, Difficulty Rating: 56.84)

8			4	9				
	6			2	1		4	3
			6	3				8
5	2	8						
	9						5	
						1	2	9
9				7	2			
4	5		1	8			3	
				6	4			2

Puzzle #303 (Medium, Difficulty Rating: 48.02)

		6			9	4		7
		7		2	3		5	
			7					3
		9				6		2
		3	2		4	5		
5		2				1		
1					6			
	6		1	3		8		
2		4	8			3		

Puzzle #304 (Medium, Difficulty Rating: 44.10)

	1				4			
4				3		5	1	2
			5		8		4	
9			8				6	7
		7				3		
2	8				7			9
	2		9		3			
6	7	9		8				5
			6				8	

Puzzle #305 (Medium, Difficulty Rating: 51.94)

					6		2	9
1		7		8			5	
	9	3			4			
8		2			7			
		1	8	5	2	3		
			1			8		2
			4			7	8	
	7			2		5		4
4	1		7					

Puzzle #306 (Medium, Difficulty Rating: 52.92)

5	4							
9			5	4				
	8	7		1	6		4	
			6	8		2		1
		6				3		
2		8		5	1			
	1		9	7		8	3	
				2	3			5
							9	7

Puzzle #307 (Medium, Difficulty Rating: 56.84)

6	2		7	3				9
3				8	4	2		
		7						
9		5	2					
4	8			5			2	6
					1	9		5
						6		
		2	6	1				4
5				2	7		8	3

Puzzle #308 (Medium, Difficulty Rating: 45.08)

			1	4			3	
	3	4						6
8		7	3			9		
					7		1	8
7		6		3		5		9
1	5		6					
		8			4	2		3
9						7	8	
	7			8	5			

Puzzle #309 (Medium, Difficulty Rating: 49.00)

	2			3				9
6	7				2	8	3	1
			8			4		
				9			7	
		5	4		7	6		
	4			2				
		9			1			
4	6	2	7				9	5
3				6			4	

Puzzle #310 (Medium, Difficulty Rating: 45.08)

5		3			2	9		
6				8	3	1		2
	4							
							8	1
1		9	3	6	8	7		5
8	3							
							1	
9		8	7	2				3
		6	1			2		8

Puzzle #311 (Medium, Difficulty Rating: 53.90)

1					3		6	
3	6				8			
2					7	3		8
	4				2			7
5		1				4		2
9			5				1	
4		6	2					9
			7				2	6
	5		6					4

Puzzle #312 (Medium, Difficulty Rating: 57.82)

2					4	7	3	
	5	7	9				4	2
	6		3				8	
5						1		
	3			7			6	
		6						3
	4				5		1	
1	8				3	2	5	
	2	5	1					7

Puzzle #313 (Medium, Difficulty Rating: 50.96)

4	6		3					9
		8	4			3	7	
		9					6	
	7		8			6		5
			6	4	7			
6		3			1		4	
	9					1		
	3	1			2	7		
8					3		9	6

Puzzle #314 (Medium, Difficulty Rating: 45.08)

3	6		8					2
	8					7		
				7		6	8	
2	7		1			3		
	1		9		8		7	
		9			7		4	8
	9	1		8				
		4					6	
5					1		9	7

Puzzle #315 (Medium, Difficulty Rating: 56.84)

		8		9				2
			5					
9			6	3	4			
4		9	8	5			7	
6		5				3		1
	3			6	9	5		8
		2	1	7				9
				5				
7				4		1		

Puzzle #316 (Medium, Difficulty Rating: 49.98)

					6	4	8	1
								2
	4	1		9	8		5	
6				1		8	7	
		4				3		
	2	8		7				6
	6		4	3		5	1	
8								
4	5	2	1					

Puzzle #317 (Medium, Difficulty Rating: 56.84)

		5				7		
			5	6			1	2
6		2	9					5
	3		4	9			7	6
				2				
2	5			7	1		3	
5					9	6		4
9	8			5	6			
		7				9		

Puzzle #318 (Medium, Difficulty Rating: 55.86)

2		3			9	7		
5		4					6	8
7					1	5		
		5		8				
3			4		7			1
				3		4		
		2	7					3
1	4					6		5
		9	5			2		7

Puzzle #319 (Medium, Difficulty Rating: 49.00)

8		4	3				7	
					9		2	
1			8				5	4
	3	1						
7	6	5				1	4	8
						7	6	
2	4				6			5
	9		4					
	1				3	4		7

Puzzle #320 (Medium, Difficulty Rating: 50.96)

	4			3		7	6	9
3					5			
			6	4		1		5
5		9					4	
	6			9			5	
	7					6		3
6		1		2	9			
			8					2
2	9	8		5			7	

Puzzle #321 (Medium, Difficulty Rating: 55.86)

5				7	8	6		
							8	5
9	8				3			7
	6		8		9	5		
		9				8		
		5	4		2		6	
6			1				5	9
3	5							
		2	3	5				8

Puzzle #322 (Medium, Difficulty Rating: 52.92)

4	6	1						
9	3				7			
5		8		9	6			
		5	6		3		4	
		3				9		
	4		9		8	6		
			1	8		2		6
			5				7	9
						4	5	8

Puzzle #323 (Medium, Difficulty Rating: 45.08)

2	1	5		3				7
	6					9		1
			4			5		
	7		8				5	4
	8						1	
5	2				1		7	
		1		3				
6		7					4	
9				4		7	3	6

Puzzle #324 (Medium, Difficulty Rating: 57.82)

	7			8	4			
	5	4	6		1			
		3	9					4
7				3		9		1
2				4				3
3		8		9				2
1					5	4		
			2		9	3	5	
			4	7			1	

Puzzle #325 (Medium, Difficulty Rating: 47.04)

			7		8	4		
		8		3			2	6
			6			5		
2		5					1	4
	9	6				8	7	
4	8					9		2
		7			5			
9	4			7		3		
		2	4		9			

Puzzle #326 (Medium, Difficulty Rating: 49.00)

		3	9					
	6	1		8			9	
	8		5			6		3
			7	2		8	3	
		7		5		9		
	5	2		6	3			
2		6		5			7	
	4			7		3	6	
					4	1		

Puzzle #327 (Medium, Difficulty Rating: 49.00)

	4		7					9
		5				7		
6	1	7		3		2		
7	8		5					3
			2	7	4			
5					1		9	7
		9		4		5	6	2
		6				9		
2					9		3	

Puzzle #328 (Medium, Difficulty Rating: 52.92)

	1		5		9			
	7	4				5		
		6	1	2		8		
		8	6			9	4	
4				9				2
	9	1			4	3		
		9		1	2	4		
		2				6	5	
			4		5		9	

Puzzle #329 (Medium, Difficulty Rating: 51.94)

					8			3
3		6	5			7	9	8
	1	5		9	3			4
				3		5		
				2				
		4		7				
2			3	4		9	7	
6	4	3			7	2		1
9			1					

Puzzle #330 (Medium, Difficulty Rating: 49.98)

						6		3
	7	3			2	8		
		8		3	1		9	
3		6					7	
5	8			4			3	9
	1					5		4
	9		1	5		3		
		5	6			7	8	
7		1						

Puzzle #331 (Medium, Difficulty Rating: 47.04)

	8			6	2	4	1	
	6		4			8		
		4	1					
				4		9	2	
	3		2	7	5		8	
	4	6		9				
					4	2		
		3			8		7	
	2	8	6	5			4	

Puzzle #332 (Medium, Difficulty Rating: 56.84)

			6	3		5		7
6	7		4					9
3			7	2				
9	2						4	
		7				9		
	1						7	8
				4	8			6
1					6		9	2
7		2		1	3			

Puzzle #333 (Medium, Difficulty Rating: 48.02)

			5	8	2			6
						2	9	5
5								
	5	3			9	1	7	
1		4		5		8		2
	6	8	1			3	5	
								1
8	1	6						
9			4	1	5			

Puzzle #334 (Medium, Difficulty Rating: 53.90)

				7		8	5	
	1		8		5		4	9
		3	1					
			5	8	9		7	
		8				6		
	4		3	1	6			
					8	5		
3	6		4		2		8	
	5	2		3				

Puzzle #335 (Medium, Difficulty Rating: 55.86)

				1	3			
4		7	8			1	3	2
	2						8	9
		5						4
3			6	4	7			8
6						3		
9	5						2	
8	3	2			9	7		1
			3	8				

Puzzle #336 (Medium, Difficulty Rating: 52.92)

			8	3		1		9
				6		2		
					4	7		5
	2	3		5	6			
5	8						1	4
			9	8		5	2	
8		2	6					
		7		9				
4		1		2	7			

Puzzle #337 (Medium, Difficulty Rating: 47.04)

6		2	8			3		
9				3			5	
	7		4				2	6
3			1		9			
	8			5			9	
			7		3			5
8	1				6		3	
	9			7				8
		6			8	4		1

Puzzle #338 (Medium, Difficulty Rating: 45.08)

5					6			
				5		9	6	1
2	3							5
	6		5		8	1		
1			4		9			2
		2	6		7		5	
4							2	6
7	8	5		6				
			3					9

Puzzle #339 (Medium, Difficulty Rating: 50.96)

		5	4	6				
			3		1	7	9	6
	3				8			
7		6		9		5		3
8		2		3		9		4
			1				6	
5	6	9	2		3			
				7	9	4		

Puzzle #340 (Medium, Difficulty Rating: 49.00)

8	4		2		9			
9	6				7	3		
7							9	
			4	9		5		
		9	3		8	7		
		5		1	6			
	9							7
		7	8				6	4
			9		1		5	2

Puzzle #341 (Medium, Difficulty Rating: 47.04)

4								2
	9			4	8		7	
			1			5		
2		4	9		6		5	1
		7		8		2		
6	3		2		1	4		8
		6			2			
	2		7	5			4	
3								5

Puzzle #342 (Medium, Difficulty Rating: 49.00)

6	5						7	2
	4	2	9		6		1	5
			8					
					5		4	1
			7	9	4			
5	7		1					
					3			
8	6		4		9	1	5	
4	1						2	3

Puzzle #343 (Medium, Difficulty Rating: 54.88)

		4	5	2	6	7		
7			4					
6				7			2	5
		3					6	
	1	9		3		8	7	
	6					5		
3	8			9				6
					2			7
		6	7	4	3	9		

Puzzle #344 (Medium, Difficulty Rating: 52.92)

			9				8	
1	8			7		3		2
2		4	3		6			7
			2		8			3
3			1		7			
8			7		2	1		4
5		1		6			2	8
	4				3			

Puzzle #345 (Medium, Difficulty Rating: 49.98)

3				4		2		8
			5	3		7	4	9
9			2					
						1	7	
		1	5		7	4		
	9	3						
				4				6
2	1	7	3	6				
8		4		9				7

Puzzle #346 (Medium, Difficulty Rating: 46.06)

7	2			3	4	1		
9		6						4
	4	1	8					
5	9			8				
			7		9			
				2			9	5
					1	4	8	
8						3		9
		2	3	9			1	6

Puzzle #347 (Medium, Difficulty Rating: 51.94)

9				7			1	
3	2	4				6		5
			4					
8			1		2		3	6
2				6				8
6	9		3		7			1
					8			
4		6				1	9	2
	3			9				7

Puzzle #348 (Medium, Difficulty Rating: 55.86)

5					4	3		
		7	6			9	8	
	9	3			8	6	7	
	3							
		4	9		6	8		
							1	
	7	6	3			1	9	
	4	2			1	5		
		5	2					8

Puzzle #349 (Medium, Difficulty Rating: 57.82)

3		8					6	
2			8		4	9		3
		9	3	7				
				2		3	4	5
1	4	6		3				
				8	2	7		
8		4	7		3			6
	2					8		1

Puzzle #350 (Medium, Difficulty Rating: 49.00)

		1		4				5
	2	5				6	8	
	6	4	7			3		9
4			1					
		7				9		
					3			7
1		3			6	5	2	
	4	2				7	9	
5				7		4		

Puzzle #351 (Medium, Difficulty Rating: 56.84)

1		8					7	
2		6	3		5	1		
		5	1					2
6				5				
		4	9		8	6		
				1				8
4					3	7		
		9	5		2	4		1
	3					2		9

Puzzle #352 (Medium, Difficulty Rating: 45.08)

2	5		4		6	9		
	3				7			1
						8		
				3	1	6	9	
4	1						2	5
	9	6	2	5				
		2						
5			7				1	
		7	5		3		8	6

Puzzle #353 (Medium, Difficulty Rating: 54.88)

			9	6		8		3
	5				3		9	
	1		4			6		
3			5				8	
5	8						4	6
	7				9			5
		7			6		1	
	6		3				7	
4		5		7	2			

Puzzle #354 (Medium, Difficulty Rating: 52.92)

						9		
9		4	7	2		1		6
							2	7
3			2				1	4
	4		8		3		7	
8	2				4			9
4	3							
2		9		1	6	4		3
		6						

Puzzle #355 (Medium, Difficulty Rating: 54.88)

7	5			6		9		
		2	9					6
	6					4		3
		8	2			3		
	9		5		8		7	
		7			6	8		
4		9					3	
3					2	5		
		5		1			8	9

Puzzle #356 (Medium, Difficulty Rating: 52.92)

1	6	7			4			
		5		2	3		1	
4	3				9			
8						2		7
	2						9	
5		6						8
			2				7	3
	7		4	5		9		
			3			6	4	1

Puzzle #357 (Medium, Difficulty Rating: 55.86)

	3		6					7
5				3	2	8		
					4		9	3
9					3	2		
	2		5		6		1	
		1	4					6
7	1		2					
		8	3	5				2
3					1		8	

Puzzle #358 (Medium, Difficulty Rating: 58.80)

		3	6	8			2	
		1			3			
			4		5			3
	9			6	1			8
6			8		9			4
5			7	3			6	
1			5		8			
			3			6		
	4			7	6	9		

Puzzle #359 (Medium, Difficulty Rating: 45.08)

				5				7
			7		1	6	4	
5			3			1		
				7	4		6	2
		2	9	6	3	4		
9	4		5	1				
		1			6			9
	8	3	1		5			
4				3				

Puzzle #360 (Medium, Difficulty Rating: 44.10)

	2	8		9				
9		6	1			5	4	
				6		9	7	
1			2				5	
		9				1		
	5				8			4
	9	2		8				
	6	1			7	8		3
				5		7	2	

Puzzle #361 (Medium, Difficulty Rating: 45.08)

								1
2	1			6		8		
			9		7	3	4	
4						1	5	
6	5		2		4		9	3
	9	3						6
	4	2	8		5			
		8		3			1	4
3								

Puzzle #362 (Medium, Difficulty Rating: 48.02)

6								4
7			3		1			
		8				7		6
2		5		4	3	8		
3			2		7			5
		7	6	1		4		2
1		3				2		
			8		4			3
4								9

Puzzle #363 (Medium, Difficulty Rating: 48.02)

	2	1				3	7	4
		3	5			6		
				4	2			
8			7	5				
	9		8		1		3	
				2	9			6
			1	3				
		2			5	7		
3	5	6				8	9	

Puzzle #364 (Medium, Difficulty Rating: 47.04)

4		3			8		6	
6	8							7
				3				
8		5			1	6	2	
	6	1		4		7	8	
	2	9	3			1		4
				2				
2							4	5
	7		9			2		8

Puzzle #365 (Medium, Difficulty Rating: 55.86)

		3				1		9
				7	4			3
4		8			3	7	5	
	1			3				8
			4		9			
3				5			9	
	3	5	9			6		1
7			6	2				
8		6				2		

Puzzle #366 (Medium, Difficulty Rating: 49.00)

9	8						6	1
			1	4		9		
					8		2	5
			6			8	5	4
		7				2		
2	4	8			3			
7	9		8					
		3		2	4			
4	5						8	7

Puzzle #367 (Medium, Difficulty Rating: 57.82)

3			5				1	7
		2		3				5
			1		9			
	5	7	3			9	2	
		1		7		6		
	4	6			1	7	5	
			7		4			
4				2		5		
7	2				3			9

Puzzle #368 (Medium, Difficulty Rating: 50.96)

					1	4	3	
			2	4	7			6
		2	6				5	
		8	7	5			6	
		7				9		
	6			2	3	7		
	4				8	6		
7			3	9	2			
	9	1	4					

Puzzle #369 (Medium, Difficulty Rating: 56.84)

	9	8		7			5	2
	3							
	6	2		8				
		3	1			2		7
		7	2		6	3		
5		1			7	6		
				2		5	6	
							2	
2	5			1		7	9	

Puzzle #370 (Medium, Difficulty Rating: 50.96)

								6
			6	3	5			1
		9	8		1	7	2	
6	9	4			2	3		
		1	9			2	6	4
	2	6	1		3	5		
1			5	8	7			
9								

1			9			4		
		9	4	2		5	3	
	2		5	8				1
		7						4
		8				6		
9						3		
4				7	9		5	
	8	5		1	4	7		
		1			6			2

1			6	8		3		
8		3	7	9		2		
7					1			
9						8	6	
6								5
	8	5						3
			9					1
		6		1	2	5		9
		9		3	6			4

Puzzle #373 (Medium, Difficulty Rating: 49.98)

3		2	9			8		
				8		1		2
	7	5		2				6
		9	2					7
			3		6			
1					8	2		
2				3		6	1	
9		8		5				
		1			2	7		8

Puzzle #374 (Medium, Difficulty Rating: 46.06)

	1			9	8		2	
	5				2	8		
	4		3				1	
9		6					7	2
		1				5		
4	2					9		3
	9				4		5	
		7	2				4	
	3		5	8			9	

Puzzle #375 (Medium, Difficulty Rating: 58.80)

2			6					3
3	1				4		9	
	5			3	9			
		5	2				6	7
	6						5	
7	3				6	2		
			4	7			8	
	2		1				3	6
8					3			4

Puzzle #376 (Medium, Difficulty Rating: 49.98)

4			3	8		5		
	3				5			
2	1	5			4		3	
6	7					3		
		9				1		
		2					4	8
	2		8			9	5	7
			5				8	
		7		3	2			1

Puzzle #377 (Medium, Difficulty Rating: 49.98)

							9	
		3	6		2		8	
8		4	7			3		6
5		9	3	8		6		
		1		6	5	2		4
9		8			7	5		2
	3		5		8	1		
	1							

Puzzle #378 (Medium, Difficulty Rating: 54.88)

			2	4	3	1	6	
	2		6					
8	1			5				
	6	5			8		9	
	9						2	
	4		9			3	1	
				9			5	7
					7		3	
	7	2	5	3	6			

Puzzle #379 (Medium, Difficulty Rating: 46.06)

					4		3	
7					2		4	1
2	4					9		5
3		8		6				
	6	7		8		3	1	
				7		6		2
6		4					2	8
8	3		6					9
	7		9					

Puzzle #380 (Medium, Difficulty Rating: 48.02)

5		1			7	9		
		8	5		1		2	3
7		3		9				
						8	4	2
3	5	9						
				7		2		5
8	7		2		3	1		
		5	1			3		8

Puzzle #381 (Medium, Difficulty Rating: 47.04)

8			6	5				
	3	6	8			9		
		7			1	4		
2		3	4	9				
	5						4	
				7	8	6		2
		1	9			5		
		4			5	1	6	
			6	3				4

Puzzle #382 (Medium, Difficulty Rating: 46.06)

						3	4	
		8	9		3	5	1	
6				7				8
7			8	6			5	
		2		1		9		
	6			9	5			2
1				5				4
	2	6	1		4	7		
	9	4						

Puzzle #383 (Medium, Difficulty Rating: 47.04)

2							1	
1					8	6		
		8		3				2
8	4			6	3			5
	1		5		7		4	
9			2	4			8	6
4				7		5		
		7	6					3
	8							4

Puzzle #384 (Medium, Difficulty Rating: 54.88)

9		6	3			7	4	2
					9	8		5
	8			7				
	1					6		
8		9				4		3
		7					2	
				1			7	
2		3	7					
7	6	1			2	5		4

Puzzle #385 (Medium, Difficulty Rating: 46.06)

		8				2		
1			2		5	9		
4		9	6		1			
	3				6	5		4
9								2
8		4	5				1	
			1		3	4		8
		3	4		2			9
		1				7		

Puzzle #386 (Medium, Difficulty Rating: 47.04)

	9						3	7
	7	2	9			5		6
						4		
	8		3		4		5	
6		7		5		8		9
	4		8		7		6	
		8						
3		1			5	9	7	
9	6						2	

Puzzle #387 (Medium, Difficulty Rating: 54.88)

7	6		2	5	3	9	8	
						6		5
				1				
	2		9		7		5	
	9						4	
	3		5		2		7	
			3					
3		2						
	4	8	7	6	5		2	3

Puzzle #388 (Medium, Difficulty Rating: 56.84)

	5		9					1
	1		6		3			
	4				5	3	2	
9						8	5	3
		7		5		6		
5	8	1						7
	6	5	1				7	
			5		7		4	
1					6		3	

Puzzle #389 (Medium, Difficulty Rating: 51.94)

	6					3	5	
7		8			3			2
4	5							9
		5	8			4	9	
8				9				6
	7	2			4	8		
3							6	4
5			4			9		8
	4	7					2	

Puzzle #390 (Medium, Difficulty Rating: 50.96)

				8				
2	4							6
		8	7	4	2			9
7		5	4					1
	8		9		3		5	
1					8	3		2
8			1	9	4	2		
4							1	5
				6				

Puzzle #391 (Medium, Difficulty Rating: 50.96)

	7			2		1		
			1		5			
1			4		7	2		8
				7		8	9	
8		2				6		4
	4	6		9				
4		3	7		6			1
			3		2			
		7		8			6	

Puzzle #392 (Medium, Difficulty Rating: 53.90)

					7	8		
8		1		9	2		6	4
5				1				
	5						8	
3	4	6				9	7	2
	2						5	
				2				5
4	1		9	8		2		7
		3	1					

Puzzle #393 (Medium, Difficulty Rating: 45.08)

2				3		5	6	
		5	2				9	
	3			7	9			
		2			5		7	8
3				4				9
1	5		7			6		
			3	5			8	
	1				8	7		
	8	7		2				5

Puzzle #394 (Medium, Difficulty Rating: 54.88)

		3	1		9		4	2
		1		4				7
							3	
	1			7	6			9
	9	7				4	6	
3			5	9			8	
	3							
5				8		2		
1	7		9		4	8		

6					2			
					7			9
	7		9			3		6
		1	8		4			5
	4	9	7	5	1	2	6	
2			6		9	1		
5		7			8		9	
8			5					
			4					2

			4	2			1	
2	8						7	6
5					8	2		
6	1		9				2	8
3	2				6		9	7
		9	5					3
1	3						4	2
	7			4	9			

Puzzle #397 (Medium, Difficulty Rating: 57.82)

5				7	8	3	4	
			6					
9	3	7					2	
	7		8				5	
	5		2	1	3		6	
	6				7		1	
	9					2	7	5
					6			
	1	2	7	5				6

Puzzle #398 (Medium, Difficulty Rating: 49.00)

		3	7			2		
	2	9		4			8	
	1	6			8			
		4			5			9
6		5		2		8		4
9			3			7		
			5			4	9	
	9			7		1	6	
		1			6	5		

Puzzle #399 (Medium, Difficulty Rating: 48.02)

			3			5		4
		8						9
			1	2	9		7	
	2	4			1	3		7
1								5
3		7	6			2	9	
	8		7	1	2			
5						7		
7		1			6			

Puzzle #400 (Medium, Difficulty Rating: 46.06)

		1				3	9	6
				2				5
			5		6	4		
			8	9		2		7
3		9				1		8
4		8		5	7			
		4	7		5			
8				1				
7	6	5				8		

Puzzle #401 (Medium, Difficulty Rating: 46.06)

2			3	5		6		
7		5	1			9		
						5		
	7	2	6				5	
	5		9		1		3	
	6				4	2	1	
		1						
		7			5	3		4
		8		3	9			7

Puzzle #402 (Medium, Difficulty Rating: 56.84)

		8						
		2	4		9	8		1
		3					7	5
1			5					2
2		5	9		4	1		7
7					6			9
8	5					9		
3		9	2		5	6		
						7		

Puzzle #403 (Medium, Difficulty Rating: 54.88)

9			1		4	2		7
	2			9	3			4
	3			5		1		
				1	6			
		1				8		
			7	8				
		5		3			6	
2			9	7			1	
7		3	6		8			5

Puzzle #404 (Medium, Difficulty Rating: 51.94)

	4	3	6			1		2	
1				5			8		4
	5							6	3
2			3						
	3							1	
					5				8
5	2							8	
3		1		8					9
	9		2		4	5	3		

Puzzle #405 (Medium, Difficulty Rating: 49.98)

2	7					8		
	8		5	7				
5			9					2
		2	7				1	3
9		7		4		2		8
1	3				9	7		
7					1			6
				5	4		2	
		1					8	4

Puzzle #406 (Medium, Difficulty Rating: 49.98)

		3	2				9	
1			4		8		5	
2		8			5			
	3							8
	4	1	7	5	2	9	6	
7							2	
			9			1		6
	1		8		4			5
	8				1	2		

Puzzle #407 (Medium, Difficulty Rating: 51.94)

	1	3						8
	9					2	7	
					5	6	4	
4	8			2	6			
1			4		9			2
			8	3			5	4
	4	9	6					
	6	1					3	
7						9	8	

Puzzle #408 (Medium, Difficulty Rating: 51.94)

5			3					
		6		7		5		1
	8				9	6		
	9	1	5				2	
		3	9	8	7	1		
	5				6	9	3	
		5	7				8	
8		9		4		2		
					5			7

Puzzle #409 (Medium, Difficulty Rating: 51.94)

8	7			9		3		
		6			8	7		
	2			5		8		6
4	1			2				
			7		1			
				3			7	5
9		2		7			1	
		3	9			4		
		1		8			6	2

Puzzle #410 (Medium, Difficulty Rating: 50.96)

					3	4		1
			2		6			5
					7		3	
9		7	8			1	5	
	3	5				6	8	
	1	4			5	7		3
	2		3					
6			7		1			
1		3	9					

Puzzle #411 (Medium, Difficulty Rating: 50.96)

		3	2	8		1		
		1			5	6	2	8
								7
	2			6	8			
6			1	5	2			9
			3	9			5	
7								
2	1	8	5			7		
		9		7	1	8		

Puzzle #412 (Medium, Difficulty Rating: 53.90)

		2			1		7	
6	8			2				5
4	5						8	3
5			2	3				
			7		5			
				9	8			2
9	1						5	8
8				6			4	1
	4		1			3		

Puzzle #413 (Medium, Difficulty Rating: 49.00)

		3		4	2			1
7	1				6			
		5					6	
3					5	4	9	
	5		4		8		2	
	8	4	2					5
	7					9		
			8				4	7
8			6	3		5		

Puzzle #414 (Medium, Difficulty Rating: 49.00)

		1						5
9	6		5			3		1
		3		6	4			8
	7		4					3
			3	5	8			
3					6		2	
2			6	4		1		
5		7			3		6	4
6						8		

7							4	
	3		5			8	1	2
6			8	9			3	
			4		2		7	3
5	7		6		1			
	9			7	5			4
2	5	7			6		9	
	6							5

7				3				
5		1	7					
3				9	2	1		4
	7	6		5				
		2	1		3	7		
				7		9	8	
2		4	9	6				7
					5	2		3
				2				9

Puzzle #417 (Medium, Difficulty Rating: 51.94)

2			7			9	6	8
9				1			5	
		6	5					
		8					4	3
	9		1		4		7	
3	6					5		
					1	7		
	8			6				5
1	3	7			2			4

Puzzle #418 (Medium, Difficulty Rating: 53.90)

	2	6	1		9			
1		7						
	4				5	6	1	
	5	9					6	1
3								8
4	6					2	5	
	8	5	3				2	
						7		4
			8		6	3	9	

Puzzle #419 (Medium, Difficulty Rating: 54.88)

		1		9	7		3	4
			6	5				9
	6						7	
		4	8		9			
	3		5		2		1	
			3		6	5		
	7						9	
4				8	1			
1	2		9	6		4		

Puzzle #420 (Medium, Difficulty Rating: 45.08)

				3	9			6
	9	5			4		1	2
			2					
	6		3	5			9	
9			4		6			5
	5			9	7		2	
					2			
5	1		9			4	7	
3			1	8				

Puzzle #421 (Medium, Difficulty Rating: 48.02)

7			2	1		3		
	3	9				2	1	
					5			
8	4	6				1	2	
1				2				8
	7	2				9	4	6
			5					
	5	1				8	9	
		4		7	9			1

Puzzle #422 (Medium, Difficulty Rating: 53.90)

				4	3			
2					9	3	8	7
			2				1	9
	6	3				7		
8			5		7			4
		7				8	3	
9	4				6			
7	1	8	3					6
			7	5				

Puzzle #423 (Medium, Difficulty Rating: 44.10)

	8			4	9			
			6				2	
7		4			8		9	1
	3	2	7					9
4				9				8
8					1	7	3	
6	2		8			4		7
	5				4			
			9	6			5	

Puzzle #424 (Medium, Difficulty Rating: 50.96)

	1	6	5	4				
3	9	8		6				4
2							3	
			3	5	4		9	
				2				
	2		6	1	9			
	7							9
8				9		3	5	7
				3	5	8	1	

Puzzle #425 (Medium, Difficulty Rating: 52.92)

	8	2		4		9		
			3	8				
	5		9		6	3		
4	2	7			8			9
9			7			1	8	4
		8	4		7		9	
				6	9			
		9		3		2	7	

Puzzle #426 (Medium, Difficulty Rating: 46.06)

9				7	5			1
	3			2		6		
			4		6			
		7		4	2		6	3
	1						5	
5	6		1	9		4		
			7		9			
		2		1			9	
1			2	3				6

Puzzle #427 (Medium, Difficulty Rating: 50.96)

4				2	3			7
		2	4	1	7		9	
	9		6				1	
7					4		5	
	2		8					1
	7				1		6	
	6		5	9	8	3		
8			7	3				9

Puzzle #428 (Medium, Difficulty Rating: 51.94)

5	8				7	6		3
		2			9			
				8		2		
4	3			1	8			6
		9				8		
1			5	3			7	9
		3		6				
			2			7		
8			1	4			6	2

		4	8		1			
					6			
1						7	8	9
	5	3		1		6		
4	7		2		5		9	8
		8		6		5	2	
3	4	7						5
			7					
			6		2	8		

		7					4	3
5		3		2				
	9		3		7	1		5
			1	5				7
		6				2		
7				8	6			
9		2	7		5		3	
				4		7		9
1	7					4		

1			3	6				5
	3	8		5				
5		2		1				
			5				1	4
4		9				8		6
6	7				1			
			4			6		7
			2			5	9	
9			3	5				8

	4		9			2	6	
		6	5			1		
	1		8					
		5	6		1	7		
1	6						4	2
		7	2		3	6		
					5		3	
		9			8	5		
	5	1			6		9	

SOLUTIONS

3	7	5	9	4	1	2	6	8
1	2	6	8	5	3	7	4	9
9	4	8	2	7	6	5	3	1
4	5	2	6	8	9	1	7	3
6	8	1	5	3	7	4	9	2
7	9	3	4	1	2	6	8	5
5	3	9	7	2	4	8	1	6
2	1	7	3	6	8	9	5	4
8	6	4	1	9	5	3	2	7

Puzzle #2 (Medium, Difficulty Rating: 50.96)

8	3	7	6	1	5	9	2	4
2	6	5	4	9	3	1	8	7
4	1	9	7	8	2	5	3	6
9	7	1	2	6	4	3	5	8
3	4	2	9	5	8	7	6	1
5	8	6	3	7	1	2	4	9
1	2	3	8	4	9	6	7	5
6	5	4	1	2	7	8	9	3
7	9	8	5	3	6	4	1	2

Puzzle #3 (Medium, Difficulty Rating: 53.90)

6	2	7	3	4	5	1	8	9
9	4	8	6	1	7	5	3	2
3	1	5	8	2	9	7	4	6
4	7	2	1	9	8	6	5	3
8	6	1	5	3	2	9	7	4
5	3	9	4	7	6	2	1	8
2	9	4	7	5	3	8	6	1
1	5	6	9	8	4	3	2	7
7	8	3	2	6	1	4	9	5

Puzzle #4 (Medium, Difficulty Rating: 50.96)

2	1	9	4	3	5	7	8	6
4	8	7	1	2	6	5	9	3
5	6	3	8	7	9	4	2	1
8	2	5	6	4	3	1	7	9
9	4	6	7	1	8	2	3	5
3	7	1	9	5	2	6	4	8
1	9	8	2	6	7	3	5	4
6	5	2	3	9	4	8	1	7
7	3	4	5	8	1	9	6	2

Puzzle #5 (Medium, Difficulty Rating: 48.02)

7	3	5	9	4	8	1	6	2
4	2	1	5	3	6	7	9	8
9	6	8	7	1	2	3	4	5
3	4	6	1	8	9	5	2	7
2	8	7	3	6	5	9	1	4
1	5	9	4	2	7	6	8	3
8	9	4	6	7	3	2	5	1
5	7	2	8	9	1	4	3	6
6	1	3	2	5	4	8	7	9

Puzzle #6 (Medium, Difficulty Rating: 50.96)

6	4	5	8	7	1	2	9	3
8	1	3	2	9	6	5	4	7
9	2	7	5	3	4	1	6	8
1	3	2	7	4	9	6	8	5
4	8	6	3	1	5	9	7	2
7	5	9	6	2	8	4	3	1
5	6	4	1	8	3	7	2	9
2	9	8	4	5	7	3	1	6
3	7	1	9	6	2	8	5	4

Puzzle #7 (Medium, Difficulty Rating: 53.90)

6	1	8	7	5	3	4	2	9
9	7	5	2	4	1	8	6	3
3	2	4	9	6	8	1	7	5
5	3	2	6	8	7	9	4	1
1	8	7	4	3	9	2	5	6
4	9	6	5	1	2	7	3	8
2	5	1	8	7	6	3	9	4
8	6	9	3	2	4	5	1	7
7	4	3	1	9	5	6	8	2

Puzzle #8 (Medium, Difficulty Rating: 50.96)

5	6	1	2	4	3	9	7	8
8	2	7	9	1	6	4	3	5
4	9	3	5	7	8	2	1	6
6	1	4	7	3	9	8	5	2
9	3	5	1	8	2	6	4	7
2	7	8	6	5	4	3	9	1
1	8	9	4	6	7	5	2	3
3	5	2	8	9	1	7	6	4
7	4	6	3	2	5	1	8	9

Puzzle #9 (Medium, Difficulty Rating: 48.02)

2	9	3	8	7	1	4	6	5
6	5	1	4	2	3	9	7	8
7	8	4	5	9	6	1	2	3
5	4	9	7	6	8	3	1	2
1	3	2	9	4	5	6	8	7
8	6	7	3	1	2	5	9	4
9	7	8	1	5	4	2	3	6
3	2	5	6	8	9	7	4	1
4	1	6	2	3	7	8	5	9

Puzzle #10 (Medium, Difficulty Rating: 53.90)

8	3	5	4	9	7	2	6	1
7	6	9	8	2	1	5	4	3
2	1	4	6	3	5	7	9	8
5	2	8	9	1	6	3	7	4
1	9	7	2	4	3	8	5	6
6	4	3	7	5	8	1	2	9
9	8	6	3	7	2	4	1	5
4	5	2	1	8	9	6	3	7
3	7	1	5	6	4	9	8	2

Puzzle #11 (Medium, Difficulty Rating: 47.04)

2	3	8	1	7	9	6	4	5
1	6	7	5	2	4	9	3	8
5	4	9	8	6	3	2	7	1
9	2	3	7	8	5	4	1	6
4	1	6	3	9	2	5	8	7
7	8	5	6	4	1	3	9	2
6	9	1	4	5	8	7	2	3
8	5	4	2	3	7	1	6	9
3	7	2	9	1	6	8	5	4

Puzzle #12 (Medium, Difficulty Rating: 49.98)

7	9	3	6	8	1	5	4	2
5	6	8	4	3	2	7	9	1
2	4	1	7	9	5	3	8	6
1	7	9	5	6	8	4	2	3
6	3	5	1	2	4	9	7	8
4	8	2	3	7	9	1	6	5
8	5	7	2	4	3	6	1	9
3	2	4	9	1	6	8	5	7
9	1	6	8	5	7	2	3	4

Puzzle #13 (Medium, Difficulty Rating: 48.02)

1	2	6	3	5	8	9	4	7
3	4	8	1	7	9	6	2	5
5	7	9	4	2	6	8	3	1
4	8	3	5	9	7	1	6	2
7	6	2	8	4	1	5	9	3
9	5	1	2	6	3	7	8	4
6	1	7	9	3	4	2	5	8
8	3	5	6	1	2	4	7	9
2	9	4	7	8	5	3	1	6

Puzzle #14 (Medium, Difficulty Rating: 54.88)

5	4	9	8	7	2	3	6	1
7	8	6	9	1	3	2	5	4
2	3	1	5	6	4	7	8	9
8	2	5	3	9	7	4	1	6
9	6	7	1	4	5	8	2	3
3	1	4	6	2	8	9	7	5
4	9	8	2	5	1	6	3	7
6	5	3	7	8	9	1	4	2
1	7	2	4	3	6	5	9	8

Puzzle #15 (Medium, Difficulty Rating: 53.90)

1	6	4	7	5	9	2	3	8
2	8	9	3	6	1	5	7	4
3	7	5	8	2	4	9	1	6
5	4	1	2	9	3	6	8	7
9	3	6	1	8	7	4	5	2
7	2	8	5	4	6	1	9	3
6	9	7	4	3	5	8	2	1
8	5	3	6	1	2	7	4	9
4	1	2	9	7	8	3	6	5

Puzzle #16 (Medium, Difficulty Rating: 52.92)

1	2	5	3	6	9	4	7	8
4	6	8	5	7	1	9	3	2
9	3	7	8	2	4	6	5	1
2	9	1	6	5	3	7	8	4
7	4	6	1	8	2	3	9	5
8	5	3	4	9	7	2	1	6
6	1	2	9	3	8	5	4	7
5	8	9	7	4	6	1	2	3
3	7	4	2	1	5	8	6	9

Puzzle #17 (Medium, Difficulty Rating: 45.08)

5	7	8	1	4	2	3	9	6
3	2	4	6	5	9	1	7	8
6	1	9	7	8	3	5	4	2
8	3	7	9	6	4	2	5	1
4	5	6	8	2	1	7	3	9
2	9	1	3	7	5	8	6	4
7	8	3	4	1	6	9	2	5
1	4	2	5	9	7	6	8	3
9	6	5	2	3	8	4	1	7

Puzzle #18 (Medium, Difficulty Rating: 50.96)

8	6	4	5	7	3	9	1	2
3	1	9	6	2	8	5	7	4
7	2	5	9	4	1	3	8	6
5	7	6	3	9	4	8	2	1
9	4	1	8	5	2	7	6	3
2	8	3	7	1	6	4	5	9
6	9	7	2	3	5	1	4	8
1	3	8	4	6	7	2	9	5
4	5	2	1	8	9	6	3	7

Puzzle #19 (Medium, Difficulty Rating: 57.82)

6	9	2	8	7	1	4	3	5
3	8	4	2	5	9	6	1	7
5	1	7	4	3	6	8	2	9
4	7	1	9	8	3	5	6	2
8	6	9	7	2	5	1	4	3
2	5	3	6	1	4	7	9	8
1	4	5	3	9	8	2	7	6
7	3	8	1	6	2	9	5	4
9	2	6	5	4	7	3	8	1

Puzzle #20 (Medium, Difficulty Rating: 49.98)

4	5	8	2	3	9	1	6	7
6	2	7	4	1	8	5	9	3
9	1	3	5	6	7	4	2	8
3	6	5	1	9	4	8	7	2
8	9	4	7	2	3	6	5	1
1	7	2	8	5	6	3	4	9
7	8	6	9	4	1	2	3	5
5	3	9	6	8	2	7	1	4
2	4	1	3	7	5	9	8	6

Puzzle #21 (Medium, Difficulty Rating: 52.92)

9	8	6	2	5	7	1	3	4
2	5	4	8	1	3	9	7	6
1	7	3	9	6	4	5	8	2
3	9	7	4	8	6	2	5	1
5	6	2	7	3	1	8	4	9
8	4	1	5	9	2	7	6	3
6	3	8	1	7	9	4	2	5
7	2	9	6	4	5	3	1	8
4	1	5	3	2	8	6	9	7

Puzzle #22 (Medium, Difficulty Rating: 48.02)

9	3	7	8	5	4	2	6	1
8	5	6	1	9	2	3	7	4
1	2	4	3	7	6	5	9	8
3	1	5	4	6	9	8	2	7
6	7	9	2	8	5	4	1	3
2	4	8	7	3	1	6	5	9
5	6	1	9	4	8	7	3	2
7	8	2	6	1	3	9	4	5
4	9	3	5	2	7	1	8	6

Puzzle #23 (Medium, Difficulty Rating: 47.04)

1	2	3	8	7	9	5	6	4
8	5	4	2	6	3	9	7	1
6	9	7	1	4	5	3	8	2
7	1	5	9	3	6	2	4	8
9	6	2	5	8	4	7	1	3
3	4	8	7	2	1	6	5	9
2	8	6	3	1	7	4	9	5
4	3	9	6	5	8	1	2	7
5	7	1	4	9	2	8	3	6

Puzzle #24 (Medium, Difficulty Rating: 45.08)

7	8	3	1	4	2	5	9	6
2	4	6	5	3	9	7	8	1
1	9	5	6	7	8	3	2	4
5	2	1	8	6	4	9	3	7
3	6	8	7	9	1	4	5	2
9	7	4	3	2	5	6	1	8
8	1	7	4	5	3	2	6	9
4	5	2	9	8	6	1	7	3
6	3	9	2	1	7	8	4	5

Puzzle #25 (Medium, Difficulty Rating: 47.04)

6	9	1	4	8	7	2	3	5
3	5	4	2	1	6	7	8	9
2	8	7	9	5	3	6	1	4
1	2	9	6	4	5	8	7	3
4	6	8	3	7	9	1	5	2
7	3	5	8	2	1	4	9	6
9	4	6	7	3	8	5	2	1
8	1	2	5	9	4	3	6	7
5	7	3	1	6	2	9	4	8

Puzzle #26 (Medium, Difficulty Rating: 52.92)

1	9	5	6	2	7	4	8	3
3	6	4	9	8	5	2	7	1
8	2	7	4	1	3	9	5	6
4	1	2	3	7	6	8	9	5
6	5	8	2	4	9	3	1	7
7	3	9	8	5	1	6	2	4
5	4	3	7	9	8	1	6	2
2	8	1	5	6	4	7	3	9
9	7	6	1	3	2	5	4	8

Puzzle #27 (Medium, Difficulty Rating: 49.98)

2	4	9	6	3	1	5	8	7
6	7	1	4	8	5	2	3	9
3	5	8	7	2	9	4	6	1
9	2	6	8	5	7	1	4	3
8	3	7	1	6	4	9	2	5
4	1	5	3	9	2	6	7	8
5	9	3	2	4	8	7	1	6
1	8	4	5	7	6	3	9	2
7	6	2	9	1	3	8	5	4

Puzzle #28 (Medium, Difficulty Rating: 46.06)

5	7	9	6	8	3	1	4	2
1	3	4	7	9	2	8	5	6
2	8	6	5	1	4	3	7	9
7	9	5	4	6	8	2	1	3
4	1	2	9	3	7	5	6	8
8	6	3	2	5	1	4	9	7
3	5	7	1	2	9	6	8	4
6	4	8	3	7	5	9	2	1
9	2	1	8	4	6	7	3	5

Puzzle #29 (Medium, Difficulty Rating: 47.04)

2	4	9	1	6	3	5	8	7
3	8	6	7	5	2	4	1	9
5	1	7	8	4	9	2	6	3
6	5	8	9	2	1	3	7	4
9	7	3	6	8	4	1	5	2
1	2	4	5	3	7	6	9	8
8	3	5	4	7	6	9	2	1
4	6	1	2	9	8	7	3	5
7	9	2	3	1	5	8	4	6

Puzzle #30 (Medium, Difficulty Rating: 49.98)

4	9	6	3	8	1	5	7	2
7	3	8	2	9	5	6	1	4
2	1	5	6	7	4	8	3	9
6	7	1	4	2	8	3	9	5
8	4	9	7	5	3	1	2	6
3	5	2	1	6	9	7	4	8
1	2	3	8	4	6	9	5	7
9	6	4	5	1	7	2	8	3
5	8	7	9	3	2	4	6	1

Puzzle #31 (Medium, Difficulty Rating: 51.94)

6	3	2	1	4	7	9	8	5
1	4	5	8	6	9	3	2	7
8	7	9	5	3	2	6	1	4
3	2	7	6	9	4	1	5	8
4	9	1	3	5	8	2	7	6
5	8	6	7	2	1	4	3	9
2	5	3	9	7	6	8	4	1
7	6	8	4	1	3	5	9	2
9	1	4	2	8	5	7	6	3

Puzzle #32 (Medium, Difficulty Rating: 53.90)

1	3	6	8	9	7	5	4	2
4	9	5	6	2	3	7	8	1
2	8	7	1	4	5	9	3	6
6	5	1	7	3	9	8	2	4
8	4	9	2	6	1	3	5	7
7	2	3	5	8	4	6	1	9
3	1	8	9	7	2	4	6	5
5	7	4	3	1	6	2	9	8
9	6	2	4	5	8	1	7	3

Puzzle #33 (Medium, Difficulty Rating: 45.08)

8	6	1	7	5	9	4	2	3
4	5	3	2	8	6	9	1	7
2	9	7	3	1	4	6	5	8
9	1	4	6	3	5	8	7	2
3	2	8	1	4	7	5	6	9
5	7	6	8	9	2	1	3	4
1	3	5	9	2	8	7	4	6
6	4	9	5	7	3	2	8	1
7	8	2	4	6	1	3	9	5

Puzzle #34 (Medium, Difficulty Rating: 50.96)

5	4	2	6	8	1	9	7	3
9	6	7	3	4	5	2	8	1
8	1	3	9	2	7	6	5	4
2	9	1	7	3	8	5	4	6
6	3	5	2	1	4	7	9	8
7	8	4	5	9	6	3	1	2
3	2	8	4	5	9	1	6	7
4	5	6	1	7	3	8	2	9
1	7	9	8	6	2	4	3	5

Puzzle #35 (Medium, Difficulty Rating: 45.08)

4	7	9	5	2	8	1	6	3
2	3	6	9	1	7	5	8	4
8	5	1	4	6	3	9	7	2
6	9	4	1	7	5	3	2	8
3	1	7	2	8	4	6	5	9
5	2	8	3	9	6	7	4	1
9	8	2	6	5	1	4	3	7
1	6	3	7	4	2	8	9	5
7	4	5	8	3	9	2	1	6

Puzzle #36 (Medium, Difficulty Rating: 56.84)

6	1	2	7	3	9	4	5	8
8	7	5	4	2	1	9	3	6
9	4	3	5	6	8	2	1	7
4	6	1	8	9	7	3	2	5
3	2	8	6	1	5	7	4	9
7	5	9	3	4	2	6	8	1
1	9	7	2	5	4	8	6	3
5	3	4	9	8	6	1	7	2
2	8	6	1	7	3	5	9	4

Puzzle #37 (Medium, Difficulty Rating: 48.02)

9	4	6	8	2	3	1	5	7
5	2	3	6	1	7	9	8	4
7	1	8	9	5	4	3	2	6
6	8	2	7	3	9	5	4	1
3	5	7	4	8	1	6	9	2
4	9	1	5	6	2	8	7	3
2	6	9	1	4	5	7	3	8
1	3	5	2	7	8	4	6	9
8	7	4	3	9	6	2	1	5

Puzzle #38 (Medium, Difficulty Rating: 49.98)

5	1	9	3	2	4	6	7	8
8	6	3	9	1	7	2	5	4
4	2	7	5	8	6	1	9	3
1	9	8	7	6	5	4	3	2
2	3	5	1	4	9	8	6	7
6	7	4	8	3	2	9	1	5
3	8	2	6	5	1	7	4	9
7	4	1	2	9	3	5	8	6
9	5	6	4	7	8	3	2	1

Puzzle #39 (Medium, Difficulty Rating: 48.02)

4	1	5	7	6	2	3	8	9
8	3	2	4	9	5	7	6	1
7	9	6	8	3	1	2	5	4
1	2	7	9	5	8	4	3	6
9	4	8	6	7	3	5	1	2
6	5	3	1	2	4	9	7	8
2	7	4	5	8	6	1	9	3
5	8	1	3	4	9	6	2	7
3	6	9	2	1	7	8	4	5

Puzzle #40 (Medium, Difficulty Rating: 53.90)

7	6	9	5	4	2	1	3	8
8	5	4	6	3	1	2	9	7
3	1	2	9	8	7	6	5	4
9	2	7	8	6	4	3	1	5
1	4	3	2	5	9	8	7	6
5	8	6	7	1	3	9	4	2
6	9	8	1	7	5	4	2	3
4	7	1	3	2	6	5	8	9
2	3	5	4	9	8	7	6	1

Puzzle #41 (Medium, Difficulty Rating: 46.06)

9	6	1	3	2	7	8	4	5
2	4	5	8	1	6	7	3	9
3	8	7	4	9	5	6	2	1
4	3	6	9	8	2	1	5	7
1	5	8	6	7	4	3	9	2
7	9	2	5	3	1	4	6	8
5	2	3	1	4	8	9	7	6
6	1	4	7	5	9	2	8	3
8	7	9	2	6	3	5	1	4

Puzzle #42 (Medium, Difficulty Rating: 52.92)

2	4	9	7	3	8	5	1	6
8	5	7	1	6	2	4	3	9
1	6	3	9	4	5	8	2	7
9	2	8	5	1	6	3	7	4
4	7	1	8	9	3	2	6	5
6	3	5	2	7	4	1	9	8
5	1	6	3	8	7	9	4	2
7	9	2	4	5	1	6	8	3
3	8	4	6	2	9	7	5	1

Puzzle #43 (Medium, Difficulty Rating: 52.92)

7	8	4	6	5	1	3	2	9
1	9	3	8	2	7	5	6	4
5	6	2	3	4	9	1	8	7
9	3	5	7	8	4	2	1	6
6	7	1	2	3	5	9	4	8
4	2	8	1	9	6	7	3	5
2	5	9	4	1	8	6	7	3
8	1	6	9	7	3	4	5	2
3	4	7	5	6	2	8	9	1

Puzzle #44 (Medium, Difficulty Rating: 56.84)

7	3	2	9	1	4	6	8	5
9	1	8	5	6	7	3	2	4
6	5	4	2	8	3	1	9	7
5	4	9	8	3	6	7	1	2
1	2	6	7	9	5	4	3	8
3	8	7	4	2	1	5	6	9
8	6	5	3	4	9	2	7	1
2	7	3	1	5	8	9	4	6
4	9	1	6	7	2	8	5	3

Puzzle #45 (Medium, Difficulty Rating: 44.10)

7	4	8	1	2	5	6	9	3
2	3	5	8	6	9	4	1	7
6	9	1	7	4	3	2	5	8
1	2	3	9	8	6	7	4	5
5	7	6	4	3	1	8	2	9
4	8	9	2	5	7	3	6	1
3	5	2	6	9	8	1	7	4
8	1	4	5	7	2	9	3	6
9	6	7	3	1	4	5	8	2

Puzzle #46 (Medium, Difficulty Rating: 52.92)

9	1	5	2	7	6	3	4	8
8	4	6	9	5	3	1	7	2
2	3	7	1	8	4	9	5	6
4	9	1	3	2	7	8	6	5
5	6	2	8	1	9	7	3	4
3	7	8	4	6	5	2	1	9
6	8	4	7	9	1	5	2	3
7	5	9	6	3	2	4	8	1
1	2	3	5	4	8	6	9	7

Puzzle #47 (Medium, Difficulty Rating: 52.92)

3	2	9	5	6	1	8	7	4
6	1	7	8	2	4	5	3	9
4	5	8	3	9	7	1	2	6
1	7	4	2	3	6	9	5	8
8	6	5	7	1	9	2	4	3
2	9	3	4	5	8	7	6	1
5	8	2	9	4	3	6	1	7
9	3	1	6	7	5	4	8	2
7	4	6	1	8	2	3	9	5

Puzzle #48 (Medium, Difficulty Rating: 48.02)

9	5	2	6	1	3	7	4	8
8	1	7	4	9	2	3	5	6
4	3	6	5	8	7	1	9	2
7	9	8	1	5	4	2	6	3
1	2	3	9	7	6	5	8	4
6	4	5	2	3	8	9	7	1
3	7	4	8	2	9	6	1	5
2	8	1	7	6	5	4	3	9
5	6	9	3	4	1	8	2	7

Puzzle #49 (Medium, Difficulty Rating: 49.98)

1	3	9	6	8	5	4	2	7
5	7	4	9	3	2	8	6	1
2	8	6	1	7	4	5	9	3
9	6	7	8	1	3	2	5	4
4	2	3	5	9	6	7	1	8
8	5	1	4	2	7	9	3	6
7	1	5	2	6	8	3	4	9
6	4	8	3	5	9	1	7	2
3	9	2	7	4	1	6	8	5

Puzzle #50 (Medium, Difficulty Rating: 46.06)

7	2	1	5	3	9	8	4	6
8	9	5	6	7	4	3	1	2
4	3	6	2	1	8	9	5	7
2	6	8	3	5	1	7	9	4
9	7	3	4	2	6	1	8	5
1	5	4	8	9	7	6	2	3
6	8	9	7	4	2	5	3	1
5	1	2	9	6	3	4	7	8
3	4	7	1	8	5	2	6	9

Puzzle #51 (Medium, Difficulty Rating: 51.94)

1	7	2	5	4	8	3	6	9
8	4	5	3	9	6	7	1	2
9	6	3	1	7	2	8	4	5
7	3	1	8	5	4	9	2	6
4	8	6	9	2	3	1	5	7
5	2	9	7	6	1	4	8	3
6	1	4	2	3	7	5	9	8
3	5	8	6	1	9	2	7	4
2	9	7	4	8	5	6	3	1

Puzzle #52 (Medium, Difficulty Rating: 45.08)

8	5	2	9	1	3	6	4	7
4	7	3	8	6	2	1	9	5
9	6	1	5	4	7	2	8	3
7	1	8	4	3	5	9	2	6
5	4	9	7	2	6	8	3	1
3	2	6	1	8	9	7	5	4
6	3	7	2	9	4	5	1	8
1	9	4	6	5	8	3	7	2
2	8	5	3	7	1	4	6	9

Puzzle #53 (Medium, Difficulty Rating: 45.08)

3	2	9	5	6	1	8	7	4
6	1	7	8	2	4	5	3	9
4	5	8	3	9	7	1	2	6
1	7	4	2	3	6	9	5	8
8	6	5	7	1	9	2	4	3
2	9	3	4	5	8	7	6	1
5	8	2	9	4	3	6	1	7
9	3	1	6	7	5	4	8	2
7	4	6	1	8	2	3	9	5

Puzzle #54 (Medium, Difficulty Rating: 58.80)

9	4	6	5	7	2	3	1	8
7	5	1	3	9	8	2	6	4
8	2	3	1	6	4	5	7	9
4	3	2	9	8	6	7	5	1
6	7	8	2	5	1	4	9	3
5	1	9	4	3	7	8	2	6
2	8	4	7	1	9	6	3	5
3	9	7	6	4	5	1	8	2
1	6	5	8	2	3	9	4	7

Puzzle #55 (Medium, Difficulty Rating: 50.96)

9	6	2	5	4	7	8	1	3
8	7	1	3	9	2	5	6	4
5	3	4	6	1	8	7	2	9
7	5	9	2	6	4	3	8	1
3	4	6	8	5	1	9	7	2
1	2	8	7	3	9	4	5	6
6	8	7	4	2	3	1	9	5
4	1	5	9	8	6	2	3	7
2	9	3	1	7	5	6	4	8

Puzzle #56 (Medium, Difficulty Rating: 49.98)

5	6	7	8	1	4	3	2	9
9	8	1	3	7	2	6	5	4
4	2	3	9	6	5	8	1	7
1	5	4	6	2	8	7	9	3
3	7	6	5	4	9	1	8	2
2	9	8	1	3	7	4	6	5
7	1	5	4	9	6	2	3	8
8	3	2	7	5	1	9	4	6
6	4	9	2	8	3	5	7	1

Puzzle #57 (Medium, Difficulty Rating: 57.82)

8	9	7	5	6	3	4	1	2
6	2	3	4	1	7	8	5	9
5	4	1	9	8	2	6	7	3
4	3	5	7	9	8	1	2	6
2	8	9	1	4	6	7	3	5
7	1	6	2	3	5	9	4	8
3	5	4	6	7	9	2	8	1
1	6	2	8	5	4	3	9	7
9	7	8	3	2	1	5	6	4

Puzzle #58 (Medium, Difficulty Rating: 48.02)

1	2	6	5	7	3	9	4	8
9	3	5	8	4	1	7	6	2
7	8	4	2	9	6	5	1	3
8	1	2	9	5	7	6	3	4
3	4	9	1	6	8	2	5	7
5	6	7	3	2	4	1	8	9
4	7	8	6	1	2	3	9	5
6	9	3	7	8	5	4	2	1
2	5	1	4	3	9	8	7	6

Puzzle #59 (Medium, Difficulty Rating: 58.80)

2	9	3	8	7	1	4	6	5
6	5	1	4	2	3	9	7	8
7	8	4	5	9	6	1	2	3
5	4	9	7	6	8	3	1	2
1	3	2	9	4	5	6	8	7
8	6	7	3	1	2	5	9	4
9	7	8	1	5	4	2	3	6
3	2	5	6	8	9	7	4	1
4	1	6	2	3	7	8	5	9

Puzzle #60 (Medium, Difficulty Rating: 57.82)

2	7	3	8	5	1	9	6	4
1	6	4	9	7	2	8	5	3
5	9	8	6	3	4	7	2	1
4	5	1	7	9	8	6	3	2
3	2	9	5	4	6	1	8	7
6	8	7	1	2	3	4	9	5
9	1	2	4	8	5	3	7	6
8	4	5	3	6	7	2	1	9
7	3	6	2	1	9	5	4	8

Puzzle #61 (Medium, Difficulty Rating: 51.94)

9	5	7	2	4	3	1	6	8
3	2	4	6	8	1	5	7	9
8	1	6	7	5	9	2	4	3
1	6	5	3	2	8	7	9	4
7	9	3	1	6	4	8	2	5
2	4	8	9	7	5	3	1	6
6	3	1	8	9	2	4	5	7
5	8	9	4	1	7	6	3	2
4	7	2	5	3	6	9	8	1

Puzzle #62 (Medium, Difficulty Rating: 49.00)

2	3	8	9	7	5	4	1	6
6	1	9	4	3	2	5	7	8
5	7	4	8	6	1	2	9	3
4	6	5	2	9	7	3	8	1
8	9	3	1	4	6	7	5	2
7	2	1	5	8	3	6	4	9
1	5	7	3	2	9	8	6	4
3	8	6	7	1	4	9	2	5
9	4	2	6	5	8	1	3	7

Puzzle #63 (Medium, Difficulty Rating: 54.88)

9	1	7	4	2	5	8	6	3
6	5	8	3	1	9	4	7	2
2	4	3	7	6	8	1	9	5
4	9	5	2	8	1	6	3	7
1	3	2	9	7	6	5	8	4
8	7	6	5	3	4	2	1	9
5	8	9	1	4	7	3	2	6
7	2	1	6	5	3	9	4	8
3	6	4	8	9	2	7	5	1

Puzzle #64 (Medium, Difficulty Rating: 53.90)

8	4	6	7	5	1	3	2	9
7	1	2	9	6	3	4	5	8
3	5	9	4	2	8	1	6	7
1	9	4	5	3	6	7	8	2
2	3	5	8	1	7	6	9	4
6	7	8	2	9	4	5	3	1
5	2	3	1	7	9	8	4	6
9	8	1	6	4	5	2	7	3
4	6	7	3	8	2	9	1	5

Puzzle #65 (Medium, Difficulty Rating: 52.92)

2	6	1	8	9	7	4	3	5
5	3	9	2	6	4	1	8	7
8	4	7	3	1	5	6	9	2
6	7	4	9	2	8	3	5	1
9	2	3	6	5	1	8	7	4
1	5	8	4	7	3	9	2	6
4	9	5	1	3	2	7	6	8
7	8	6	5	4	9	2	1	3
3	1	2	7	8	6	5	4	9

Puzzle #66 (Medium, Difficulty Rating: 46.06)

2	5	6	7	1	8	3	4	9
1	3	8	9	2	4	5	7	6
7	4	9	6	5	3	2	1	8
9	2	3	4	6	7	8	5	1
8	1	7	2	9	5	6	3	4
5	6	4	3	8	1	9	2	7
6	7	2	5	4	9	1	8	3
3	8	5	1	7	6	4	9	2
4	9	1	8	3	2	7	6	5

Puzzle #67 (Medium, Difficulty Rating: 53.90)

4	6	5	3	1	2	9	8	7
8	1	2	7	4	9	5	6	3
9	3	7	5	8	6	1	4	2
7	8	9	6	3	4	2	5	1
3	4	6	2	5	1	7	9	8
5	2	1	8	9	7	4	3	6
1	9	3	4	2	8	6	7	5
2	7	8	9	6	5	3	1	4
6	5	4	1	7	3	8	2	9

Puzzle #68 (Medium, Difficulty Rating: 49.00)

2	7	3	4	1	6	8	5	9
6	8	9	5	7	2	4	3	1
5	1	4	9	3	8	6	7	2
4	6	2	7	8	5	9	1	3
9	5	7	1	4	3	2	6	8
1	3	8	2	6	9	7	4	5
7	4	5	8	2	1	3	9	6
8	9	6	3	5	4	1	2	7
3	2	1	6	9	7	5	8	4

Puzzle #69 (Medium, Difficulty Rating: 49.00)

8	5	7	9	3	1	2	6	4
1	2	9	5	6	4	8	7	3
6	3	4	8	7	2	9	1	5
9	6	2	4	1	3	7	5	8
3	1	8	7	2	5	4	9	6
7	4	5	6	8	9	1	3	2
2	9	1	3	4	6	5	8	7
4	8	6	1	5	7	3	2	9
5	7	3	2	9	8	6	4	1

Puzzle #70 (Medium, Difficulty Rating: 45.08)

8	6	4	7	1	3	2	5	9
3	7	9	8	2	5	1	4	6
1	5	2	9	4	6	3	8	7
2	1	8	5	9	4	6	7	3
5	3	7	6	8	1	4	9	2
4	9	6	3	7	2	5	1	8
9	2	5	1	6	8	7	3	4
6	8	1	4	3	7	9	2	5
7	4	3	2	5	9	8	6	1

Puzzle #71 (Medium, Difficulty Rating: 55.86)

1	5	4	9	2	3	8	7	6
7	2	8	1	6	5	4	3	9
6	3	9	8	4	7	5	1	2
4	6	3	7	5	8	2	9	1
8	1	2	3	9	6	7	5	4
9	7	5	2	1	4	3	6	8
3	9	6	4	7	2	1	8	5
2	8	1	5	3	9	6	4	7
5	4	7	6	8	1	9	2	3

Puzzle #72 (Medium, Difficulty Rating: 45.08)

5	2	1	9	3	8	4	7	6
6	8	4	1	7	5	3	2	9
9	7	3	6	2	4	5	1	8
1	4	5	8	9	3	7	6	2
2	9	6	4	1	7	8	3	5
7	3	8	5	6	2	1	9	4
3	5	7	2	4	6	9	8	1
4	6	9	3	8	1	2	5	7
8	1	2	7	5	9	6	4	3

Puzzle #73 (Medium, Difficulty Rating: 47.04)

7	8	6	2	1	3	4	5	9
3	2	5	8	4	9	6	1	7
1	9	4	6	5	7	8	2	3
9	7	1	4	3	5	2	6	8
8	4	2	7	9	6	1	3	5
6	5	3	1	2	8	7	9	4
4	1	9	5	8	2	3	7	6
5	6	8	3	7	1	9	4	2
2	3	7	9	6	4	5	8	1

Puzzle #74 (Medium, Difficulty Rating: 54.88)

7	8	3	1	5	9	6	4	2
6	2	1	3	4	8	5	9	7
9	5	4	6	2	7	1	3	8
8	1	5	4	7	6	3	2	9
2	9	7	8	3	1	4	6	5
3	4	6	5	9	2	7	8	1
4	3	8	2	1	5	9	7	6
5	6	9	7	8	3	2	1	4
1	7	2	9	6	4	8	5	3

Puzzle #75 (Medium, Difficulty Rating: 52.92)

3	2	6	5	1	9	4	8	7
4	8	7	6	2	3	9	5	1
9	5	1	7	4	8	2	6	3
8	7	9	3	5	1	6	4	2
6	1	3	2	8	4	5	7	9
5	4	2	9	6	7	1	3	8
1	3	8	4	9	6	7	2	5
7	6	5	1	3	2	8	9	4
2	9	4	8	7	5	3	1	6

Puzzle #76 (Medium, Difficulty Rating: 50.96)

6	9	1	4	8	7	2	3	5
3	5	4	2	1	6	7	8	9
2	8	7	9	5	3	6	1	4
1	2	9	6	4	5	8	7	3
4	6	8	3	7	9	1	5	2
7	3	5	8	2	1	4	9	6
9	4	6	7	3	8	5	2	1
8	1	2	5	9	4	3	6	7
5	7	3	1	6	2	9	4	8

Puzzle #77 (Medium, Difficulty Rating: 49.00)

9	6	1	3	2	7	8	4	5
2	4	5	8	1	6	7	3	9
3	8	7	4	9	5	6	2	1
4	3	6	9	8	2	1	5	7
1	5	8	6	7	4	3	9	2
7	9	2	5	3	1	4	6	8
5	2	3	1	4	8	9	7	6
6	1	4	7	5	9	2	8	3
8	7	9	2	6	3	5	1	4

Puzzle #78 (Medium, Difficulty Rating: 56.84)

6	5	3	7	4	1	9	2	8
1	4	9	2	8	3	5	6	7
7	8	2	5	6	9	1	3	4
2	9	5	6	1	4	8	7	3
8	3	1	9	7	2	4	5	6
4	6	7	3	5	8	2	9	1
5	7	8	1	9	6	3	4	2
9	2	4	8	3	7	6	1	5
3	1	6	4	2	5	7	8	9

Puzzle #79 (Medium, Difficulty Rating: 46.06)

7	1	3	4	6	5	8	2	9
5	6	9	2	3	8	4	7	1
2	4	8	9	7	1	6	3	5
3	7	6	8	5	9	2	1	4
1	5	2	3	4	6	9	8	7
9	8	4	1	2	7	5	6	3
6	2	7	5	9	3	1	4	8
4	9	1	7	8	2	3	5	6
8	3	5	6	1	4	7	9	2

Puzzle #80 (Medium, Difficulty Rating: 51.94)

6	7	2	9	4	8	5	3	1
8	1	9	5	6	3	2	4	7
4	3	5	2	1	7	9	6	8
9	4	7	8	2	5	6	1	3
3	2	6	4	7	1	8	9	5
5	8	1	6	3	9	7	2	4
1	9	8	3	5	6	4	7	2
7	6	4	1	8	2	3	5	9
2	5	3	7	9	4	1	8	6

Puzzle #81 (Medium, Difficulty Rating: 57.82)

5	1	4	3	6	2	9	7	8
9	2	6	1	7	8	3	4	5
3	7	8	5	9	4	6	1	2
7	4	3	8	5	6	1	2	9
6	8	1	7	2	9	5	3	4
2	9	5	4	1	3	7	8	6
4	5	7	9	8	1	2	6	3
1	3	2	6	4	5	8	9	7
8	6	9	2	3	7	4	5	1

Puzzle #82 (Medium, Difficulty Rating: 56.84)

5	9	2	1	3	4	8	7	6
1	6	7	9	8	2	5	3	4
8	3	4	7	6	5	9	1	2
3	1	9	4	2	7	6	8	5
6	7	5	8	1	9	4	2	3
2	4	8	6	5	3	7	9	1
7	2	3	5	4	8	1	6	9
4	8	1	2	9	6	3	5	7
9	5	6	3	7	1	2	4	8

Puzzle #83 (Medium, Difficulty Rating: 47.04)

6	9	7	2	3	5	8	4	1
8	4	1	6	9	7	3	2	5
3	5	2	1	8	4	9	6	7
9	7	6	8	4	3	5	1	2
2	3	4	5	6	1	7	9	8
1	8	5	9	7	2	4	3	6
7	2	9	4	1	8	6	5	3
5	6	3	7	2	9	1	8	4
4	1	8	3	5	6	2	7	9

Puzzle #84 (Medium, Difficulty Rating: 51.94)

5	9	7	8	6	4	3	2	1
2	6	1	9	5	3	4	8	7
3	8	4	7	1	2	9	6	5
6	3	9	2	7	8	1	5	4
1	7	2	5	4	6	8	3	9
8	4	5	1	3	9	6	7	2
9	2	6	4	8	5	7	1	3
7	5	3	6	9	1	2	4	8
4	1	8	3	2	7	5	9	6

Puzzle #85 (Medium, Difficulty Rating: 47.04)

7	9	8	5	1	2	6	3	4
6	5	3	4	9	8	7	2	1
2	1	4	6	7	3	8	5	9
5	3	2	8	6	1	9	4	7
1	7	9	2	4	5	3	6	8
8	4	6	9	3	7	2	1	5
9	2	5	3	8	4	1	7	6
3	6	1	7	5	9	4	8	2
4	8	7	1	2	6	5	9	3

Puzzle #86 (Medium, Difficulty Rating: 51.94)

7	6	5	1	8	9	2	3	4
3	2	8	6	4	7	9	1	5
9	1	4	5	3	2	6	8	7
4	9	6	8	5	3	1	7	2
1	3	7	2	9	4	8	5	6
8	5	2	7	6	1	3	4	9
5	7	3	9	2	8	4	6	1
6	8	9	4	1	5	7	2	3
2	4	1	3	7	6	5	9	8

Puzzle #87 (Medium, Difficulty Rating: 46.06)

2	9	3	8	7	1	4	6	5
6	5	1	4	2	3	9	7	8
7	8	4	5	9	6	1	2	3
5	4	9	7	6	8	3	1	2
1	3	2	9	4	5	6	8	7
8	6	7	3	1	2	5	9	4
9	7	8	1	5	4	2	3	6
3	2	5	6	8	9	7	4	1
4	1	6	2	3	7	8	5	9

Puzzle #88 (Medium, Difficulty Rating: 50.96)

3	2	7	6	8	1	9	5	4
1	4	6	9	7	5	2	3	8
5	9	8	3	4	2	7	1	6
9	6	3	1	2	8	4	7	5
7	8	1	4	5	6	3	2	9
4	5	2	7	9	3	6	8	1
2	1	4	5	3	9	8	6	7
6	3	9	8	1	7	5	4	2
8	7	5	2	6	4	1	9	3

Puzzle #89 (Medium, Difficulty Rating: 46.06)

6	7	9	2	5	4	8	3	1
5	8	2	6	3	1	7	9	4
4	1	3	7	9	8	2	5	6
8	9	4	3	7	5	6	1	2
1	6	5	4	8	2	3	7	9
2	3	7	9	1	6	4	8	5
9	5	6	8	2	7	1	4	3
3	4	8	1	6	9	5	2	7
7	2	1	5	4	3	9	6	8

Puzzle #90 (Medium, Difficulty Rating: 44.10)

2	4	7	8	3	1	6	9	5
9	8	3	7	5	6	2	4	1
1	5	6	4	2	9	3	8	7
3	1	8	9	6	2	7	5	4
4	7	5	3	1	8	9	6	2
6	2	9	5	4	7	1	3	8
5	6	2	1	8	3	4	7	9
8	9	1	6	7	4	5	2	3
7	3	4	2	9	5	8	1	6

Puzzle #91 (Medium, Difficulty Rating: 50.96)

4	6	1	3	7	9	5	2	8
8	3	2	4	6	5	7	1	9
7	9	5	2	8	1	4	3	6
2	5	6	9	4	8	1	7	3
9	4	8	7	1	3	2	6	5
1	7	3	5	2	6	8	9	4
5	1	9	8	3	2	6	4	7
3	2	7	6	5	4	9	8	1
6	8	4	1	9	7	3	5	2

Puzzle #92 (Medium, Difficulty Rating: 56.84)

1	8	2	9	7	3	4	5	6
5	3	6	1	4	8	9	7	2
7	9	4	5	6	2	3	1	8
2	4	1	7	9	5	6	8	3
9	5	3	2	8	6	7	4	1
6	7	8	4	3	1	5	2	9
4	1	7	6	2	9	8	3	5
8	2	9	3	5	7	1	6	4
3	6	5	8	1	4	2	9	7

Puzzle #93 (Medium, Difficulty Rating: 49.98)

5	6	8	1	4	2	3	7	9
4	7	2	3	9	5	1	8	6
1	9	3	8	6	7	2	4	5
9	8	6	5	1	4	7	3	2
7	5	1	9	2	3	4	6	8
3	2	4	7	8	6	9	5	1
8	4	7	2	5	1	6	9	3
6	1	9	4	3	8	5	2	7
2	3	5	6	7	9	8	1	4

Puzzle #94 (Medium, Difficulty Rating: 47.04)

8	1	4	7	5	9	3	6	2
5	7	2	1	3	6	9	8	4
9	3	6	8	4	2	7	1	5
2	6	9	4	8	1	5	7	3
4	5	1	3	6	7	2	9	8
7	8	3	2	9	5	1	4	6
3	9	7	6	2	8	4	5	1
6	4	5	9	1	3	8	2	7
1	2	8	5	7	4	6	3	9

Puzzle #95 (Medium, Difficulty Rating: 55.86)

3	7	1	4	6	8	5	2	9
5	9	6	2	1	7	4	8	3
4	8	2	5	3	9	7	1	6
6	4	5	8	7	3	1	9	2
9	2	8	6	4	1	3	5	7
7	1	3	9	2	5	6	4	8
8	3	4	7	5	2	9	6	1
1	6	9	3	8	4	2	7	5
2	5	7	1	9	6	8	3	4

Puzzle #96 (Medium, Difficulty Rating: 56.84)

1	3	5	9	4	7	6	2	8
9	2	7	8	1	6	5	3	4
8	4	6	5	2	3	9	7	1
2	5	3	4	9	8	7	1	6
6	8	1	3	7	5	2	4	9
7	9	4	2	6	1	8	5	3
5	7	9	1	8	4	3	6	2
4	6	8	7	3	2	1	9	5
3	1	2	6	5	9	4	8	7

Puzzle #97 (Medium, Difficulty Rating: 48.02)

1	8	2	6	5	3	4	7	9
9	6	5	4	1	7	8	2	3
3	4	7	2	9	8	1	5	6
7	2	9	5	8	4	6	3	1
6	1	4	3	7	2	9	8	5
5	3	8	1	6	9	7	4	2
8	5	6	7	2	1	3	9	4
2	9	3	8	4	6	5	1	7
4	7	1	9	3	5	2	6	8

Puzzle #98 (Medium, Difficulty Rating: 57.82)

5	9	1	7	2	8	4	3	6
8	3	7	6	4	1	9	5	2
2	4	6	3	5	9	7	1	8
1	5	9	2	8	7	3	6	4
6	2	8	4	1	3	5	7	9
4	7	3	9	6	5	8	2	1
7	6	5	8	9	2	1	4	3
9	1	4	5	3	6	2	8	7
3	8	2	1	7	4	6	9	5

Puzzle #99 (Medium, Difficulty Rating: 49.98)

6	4	9	7	8	3	1	2	5
7	8	2	4	5	1	9	3	6
5	1	3	9	2	6	4	8	7
9	2	5	8	6	4	7	1	3
8	3	7	5	1	9	6	4	2
1	6	4	2	3	7	5	9	8
2	7	1	3	4	5	8	6	9
4	9	8	6	7	2	3	5	1
3	5	6	1	9	8	2	7	4

Puzzle #100 (Medium, Difficulty Rating: 58.80)

3	9	4	5	1	2	8	7	6
5	6	1	7	8	3	9	2	4
2	8	7	4	9	6	3	1	5
1	7	9	2	6	8	5	4	3
4	5	6	3	7	1	2	8	9
8	3	2	9	5	4	7	6	1
7	2	5	1	4	9	6	3	8
6	4	3	8	2	5	1	9	7
9	1	8	6	3	7	4	5	2

Puzzle #101 (Medium, Difficulty Rating: 46.06)

5	7	6	2	8	9	1	4	3
1	3	9	4	7	5	6	8	2
8	4	2	1	6	3	9	5	7
9	8	4	7	2	6	3	1	5
3	6	7	8	5	1	4	2	9
2	1	5	3	9	4	7	6	8
7	2	1	6	3	8	5	9	4
4	9	8	5	1	7	2	3	6
6	5	3	9	4	2	8	7	1

Puzzle #102 (Medium, Difficulty Rating: 48.02)

2	9	6	8	1	7	3	4	5
1	3	7	6	5	4	9	2	8
8	4	5	2	3	9	7	1	6
6	7	9	4	8	1	5	3	2
5	2	4	7	6	3	1	8	9
3	1	8	5	9	2	6	7	4
4	5	1	3	2	6	8	9	7
7	6	3	9	4	8	2	5	1
9	8	2	1	7	5	4	6	3

Puzzle #103 (Medium, Difficulty Rating: 46.06)

8	6	9	3	4	7	2	5	1
5	2	3	9	6	1	7	4	8
1	7	4	5	2	8	3	9	6
4	1	8	7	9	6	5	3	2
7	9	5	1	3	2	8	6	4
6	3	2	8	5	4	1	7	9
2	4	7	6	1	3	9	8	5
9	8	6	2	7	5	4	1	3
3	5	1	4	8	9	6	2	7

Puzzle #104 (Medium, Difficulty Rating: 47.04)

1	2	9	5	8	4	7	3	6
8	5	6	7	1	3	9	2	4
4	7	3	6	9	2	8	5	1
2	3	8	4	6	7	5	1	9
6	9	4	8	5	1	3	7	2
7	1	5	3	2	9	4	6	8
3	8	2	1	4	5	6	9	7
5	6	1	9	7	8	2	4	3
9	4	7	2	3	6	1	8	5

Puzzle #105 (Medium, Difficulty Rating: 53.90)

1	5	4	7	9	8	6	2	3
9	7	3	4	6	2	8	1	5
6	2	8	5	3	1	4	9	7
3	4	6	9	1	5	2	7	8
5	8	7	2	4	6	1	3	9
2	1	9	8	7	3	5	6	4
8	9	2	1	5	7	3	4	6
4	3	5	6	2	9	7	8	1
7	6	1	3	8	4	9	5	2

Puzzle #106 (Medium, Difficulty Rating: 49.98)

3	2	7	5	8	9	4	6	1
6	5	4	3	2	1	8	7	9
8	9	1	4	7	6	3	2	5
5	1	6	9	4	8	2	3	7
2	4	9	7	5	3	6	1	8
7	8	3	1	6	2	5	9	4
1	7	8	2	3	5	9	4	6
4	3	5	6	9	7	1	8	2
9	6	2	8	1	4	7	5	3

Puzzle #107 (Medium, Difficulty Rating: 50.96)

4	3	1	7	2	6	8	5	9
5	2	8	9	4	1	6	3	7
7	6	9	5	8	3	4	1	2
8	7	3	2	1	9	5	4	6
1	4	2	3	6	5	7	9	8
9	5	6	4	7	8	1	2	3
3	9	4	6	5	7	2	8	1
2	8	7	1	9	4	3	6	5
6	1	5	8	3	2	9	7	4

Puzzle #108 (Medium, Difficulty Rating: 49.00)

7	1	6	2	4	5	3	8	9
4	9	3	8	6	7	2	5	1
5	2	8	9	1	3	7	4	6
6	4	1	5	3	9	8	2	7
3	8	2	6	7	4	9	1	5
9	5	7	1	8	2	4	6	3
8	3	5	4	9	1	6	7	2
1	7	4	3	2	6	5	9	8
2	6	9	7	5	8	1	3	4

Puzzle #109 (Medium, Difficulty Rating: 54.88)

1	5	2	8	6	7	4	9	3
6	3	7	5	4	9	1	2	8
9	4	8	1	3	2	5	6	7
4	6	5	9	8	3	2	7	1
7	9	1	4	2	5	8	3	6
8	2	3	6	7	1	9	5	4
3	7	4	2	5	8	6	1	9
2	1	6	3	9	4	7	8	5
5	8	9	7	1	6	3	4	2

Puzzle #110 (Medium, Difficulty Rating: 52.92)

7	5	3	2	9	6	8	1	4
1	8	2	3	4	7	6	9	5
6	4	9	8	1	5	3	7	2
2	6	8	4	5	9	7	3	1
4	7	1	6	8	3	2	5	9
9	3	5	1	7	2	4	6	8
5	2	7	9	6	8	1	4	3
3	1	6	5	2	4	9	8	7
8	9	4	7	3	1	5	2	6

Puzzle #111 (Medium, Difficulty Rating: 49.98)

3	2	8	9	6	4	1	7	5
7	5	1	3	8	2	4	9	6
9	4	6	5	7	1	3	2	8
2	1	3	6	4	7	5	8	9
4	9	7	8	1	5	6	3	2
8	6	5	2	9	3	7	4	1
6	3	4	1	2	9	8	5	7
1	7	9	4	5	8	2	6	3
5	8	2	7	3	6	9	1	4

Puzzle #112 (Medium, Difficulty Rating: 50.96)

4	7	2	9	3	6	8	5	1
1	9	3	2	5	8	4	7	6
6	5	8	7	1	4	2	9	3
7	1	9	5	4	3	6	8	2
8	2	5	1	6	9	7	3	4
3	6	4	8	7	2	5	1	9
2	3	7	4	9	5	1	6	8
9	4	1	6	8	7	3	2	5
5	8	6	3	2	1	9	4	7

Puzzle #113 (Medium, Difficulty Rating: 55.86)

6	3	7	8	2	1	4	5	9
9	1	2	5	6	4	7	8	3
4	8	5	9	3	7	1	6	2
8	6	9	1	4	3	2	7	5
7	4	3	2	5	8	6	9	1
2	5	1	7	9	6	3	4	8
3	2	8	4	7	5	9	1	6
1	9	4	6	8	2	5	3	7
5	7	6	3	1	9	8	2	4

Puzzle #114 (Medium, Difficulty Rating: 56.84)

8	2	5	7	6	1	9	3	4
1	3	4	2	5	9	7	8	6
9	7	6	8	3	4	2	1	5
4	5	9	1	8	6	3	2	7
6	1	3	4	2	7	8	5	9
2	8	7	3	9	5	4	6	1
3	9	1	5	4	2	6	7	8
5	6	2	9	7	8	1	4	3
7	4	8	6	1	3	5	9	2

Puzzle #115 (Medium, Difficulty Rating: 49.00)

4	3	5	6	7	8	1	9	2
7	2	1	5	4	9	8	3	6
6	9	8	2	1	3	5	4	7
8	7	2	9	6	4	3	5	1
3	6	4	1	8	5	7	2	9
5	1	9	3	2	7	6	8	4
2	5	6	8	9	1	4	7	3
1	8	7	4	3	2	9	6	5
9	4	3	7	5	6	2	1	8

Puzzle #116 (Medium, Difficulty Rating: 49.00)

4	6	7	3	1	8	2	5	9
2	5	8	4	9	6	3	7	1
3	1	9	7	2	5	4	6	8
1	7	4	8	3	9	6	2	5
9	2	5	6	4	7	8	1	3
6	8	3	2	5	1	9	4	7
7	9	6	5	8	4	1	3	2
5	3	1	9	6	2	7	8	4
8	4	2	1	7	3	5	9	6

Puzzle #117 (Medium, Difficulty Rating: 51.94)

5	8	1	2	9	7	6	3	4
3	4	7	6	5	8	1	2	9
9	6	2	1	3	4	8	7	5
2	5	4	8	1	9	7	6	3
7	3	6	5	4	2	9	1	8
8	1	9	3	7	6	5	4	2
6	7	8	4	2	5	3	9	1
4	9	3	7	8	1	2	5	6
1	2	5	9	6	3	4	8	7

Puzzle #118 (Medium, Difficulty Rating: 50.96)

3	9	6	4	2	1	7	5	8
8	2	1	6	7	5	3	4	9
5	4	7	9	8	3	6	1	2
7	3	5	2	1	9	4	8	6
9	1	8	7	4	6	5	2	3
4	6	2	5	3	8	1	9	7
6	8	4	1	9	7	2	3	5
1	7	9	3	5	2	8	6	4
2	5	3	8	6	4	9	7	1

Puzzle #119 (Medium, Difficulty Rating: 50.96)

5	1	7	3	2	9	6	8	4
9	6	8	7	4	1	5	3	2
4	2	3	8	5	6	1	9	7
8	5	4	9	3	7	2	1	6
6	7	2	5	1	8	3	4	9
3	9	1	4	6	2	7	5	8
7	3	5	2	8	4	9	6	1
1	4	9	6	7	5	8	2	3
2	8	6	1	9	3	4	7	5

Puzzle #120 (Medium, Difficulty Rating: 53.90)

1	6	4	5	2	8	3	7	9
8	7	9	3	4	6	2	1	5
5	3	2	9	1	7	4	6	8
3	8	6	2	9	1	5	4	7
7	4	1	8	5	3	6	9	2
2	9	5	7	6	4	1	8	3
4	5	7	1	8	2	9	3	6
6	2	8	4	3	9	7	5	1
9	1	3	6	7	5	8	2	4

Puzzle #121 (Medium, Difficulty Rating: 48.02)

5	6	1	7	8	3	9	2	4
2	8	4	6	5	9	7	1	3
9	3	7	2	1	4	5	8	6
6	1	8	5	9	7	3	4	2
4	9	2	3	6	8	1	5	7
7	5	3	1	4	2	8	6	9
1	2	9	8	7	6	4	3	5
3	4	5	9	2	1	6	7	8
8	7	6	4	3	5	2	9	1

Puzzle #122 (Medium, Difficulty Rating: 54.88)

5	2	3	8	1	4	9	7	6
7	9	4	6	2	5	8	3	1
6	1	8	9	7	3	5	2	4
3	4	7	2	8	6	1	9	5
1	8	5	4	3	9	7	6	2
9	6	2	7	5	1	3	4	8
8	7	9	1	6	2	4	5	3
2	5	1	3	4	7	6	8	9
4	3	6	5	9	8	2	1	7

Puzzle #123 (Medium, Difficulty Rating: 55.86)

5	4	1	7	8	6	2	3	9
8	3	6	9	1	2	7	4	5
7	2	9	3	5	4	1	8	6
2	9	4	8	7	5	3	6	1
6	7	3	1	4	9	8	5	2
1	8	5	2	6	3	9	7	4
3	5	2	4	9	7	6	1	8
9	6	8	5	3	1	4	2	7
4	1	7	6	2	8	5	9	3

Puzzle #124 (Medium, Difficulty Rating: 46.06)

3	1	7	5	6	9	8	2	4
5	9	8	2	7	4	6	1	3
4	6	2	3	8	1	9	7	5
8	5	9	4	2	3	7	6	1
7	4	1	8	5	6	2	3	9
2	3	6	1	9	7	5	4	8
9	2	4	6	3	8	1	5	7
6	7	3	9	1	5	4	8	2
1	8	5	7	4	2	3	9	6

Puzzle #125 (Medium, Difficulty Rating: 50.96)

9	7	4	3	2	6	5	1	8
6	8	2	9	5	1	4	7	3
1	5	3	7	8	4	6	9	2
5	6	9	2	4	8	1	3	7
2	4	8	1	3	7	9	5	6
3	1	7	6	9	5	2	8	4
7	9	5	8	6	2	3	4	1
4	2	1	5	7	3	8	6	9
8	3	6	4	1	9	7	2	5

Puzzle #126 (Medium, Difficulty Rating: 48.02)

8	6	9	5	3	7	1	2	4
2	3	5	9	1	4	8	7	6
4	7	1	2	8	6	3	5	9
1	4	6	7	2	8	5	9	3
9	8	2	1	5	3	4	6	7
7	5	3	4	6	9	2	1	8
3	2	4	6	7	1	9	8	5
6	1	8	3	9	5	7	4	2
5	9	7	8	4	2	6	3	1

Puzzle #127 (Medium, Difficulty Rating: 45.08)

1	8	7	4	2	9	5	6	3
3	6	4	8	5	7	1	2	9
5	9	2	6	3	1	8	4	7
6	7	5	2	8	4	3	9	1
9	4	3	5	1	6	7	8	2
8	2	1	9	7	3	4	5	6
4	3	9	1	6	8	2	7	5
2	1	6	7	4	5	9	3	8
7	5	8	3	9	2	6	1	4

Puzzle #128 (Medium, Difficulty Rating: 50.96)

3	8	6	7	2	1	4	5	9
2	1	4	9	5	6	8	3	7
7	5	9	8	4	3	6	2	1
4	7	5	1	3	8	9	6	2
1	9	2	5	6	4	7	8	3
8	6	3	2	9	7	1	4	5
5	2	8	6	7	9	3	1	4
9	3	1	4	8	2	5	7	6
6	4	7	3	1	5	2	9	8

Puzzle #129 (Medium, Difficulty Rating: 47.04)

8	5	9	7	3	6	4	1	2
7	1	4	9	8	2	6	3	5
3	2	6	5	1	4	7	9	8
4	6	7	8	9	1	2	5	3
5	8	3	6	2	7	1	4	9
2	9	1	3	4	5	8	6	7
1	3	5	4	7	8	9	2	6
6	4	8	2	5	9	3	7	1
9	7	2	1	6	3	5	8	4

Puzzle #130 (Medium, Difficulty Rating: 47.04)

7	8	3	1	4	2	5	9	6
2	4	6	5	3	9	7	8	1
1	9	5	6	7	8	3	2	4
5	2	1	8	6	4	9	3	7
3	6	8	7	9	1	4	5	2
9	7	4	3	2	5	6	1	8
8	1	7	4	5	3	2	6	9
4	5	2	9	8	6	1	7	3
6	3	9	2	1	7	8	4	5

Puzzle #131 (Medium, Difficulty Rating: 51.94)

2	4	5	9	6	3	7	8	1
6	1	8	4	5	7	3	9	2
3	7	9	8	2	1	4	5	6
4	3	7	2	1	8	9	6	5
9	6	1	7	3	5	8	2	4
8	5	2	6	4	9	1	7	3
7	2	3	1	9	6	5	4	8
5	8	6	3	7	4	2	1	9
1	9	4	5	8	2	6	3	7

Puzzle #132 (Medium, Difficulty Rating: 49.00)

4	3	6	7	1	8	2	5	9
2	8	9	4	5	6	3	1	7
7	5	1	9	3	2	6	8	4
5	1	3	2	8	4	7	9	6
6	2	7	3	9	1	8	4	5
9	4	8	5	6	7	1	3	2
8	7	5	6	4	3	9	2	1
1	9	2	8	7	5	4	6	3
3	6	4	1	2	9	5	7	8

Puzzle #133 (Medium, Difficulty Rating: 49.98)

6	4	5	8	3	1	2	9	7
8	9	1	7	2	6	5	4	3
3	2	7	4	5	9	1	6	8
1	7	4	3	8	2	6	5	9
5	8	9	6	4	7	3	2	1
2	6	3	1	9	5	8	7	4
9	1	2	5	7	8	4	3	6
7	3	6	2	1	4	9	8	5
4	5	8	9	6	3	7	1	2

Puzzle #134 (Medium, Difficulty Rating: 55.86)

6	5	4	7	3	2	8	9	1
2	8	9	1	6	5	3	7	4
3	1	7	4	8	9	6	2	5
1	2	6	8	5	7	4	3	9
5	7	8	9	4	3	1	6	2
4	9	3	2	1	6	5	8	7
9	6	5	3	7	1	2	4	8
7	4	1	6	2	8	9	5	3
8	3	2	5	9	4	7	1	6

Puzzle #135 (Medium, Difficulty Rating: 45.08)

7	5	2	1	4	8	6	3	9
4	9	3	5	7	6	8	2	1
8	6	1	3	9	2	4	5	7
1	7	5	4	8	3	9	6	2
3	2	6	9	1	5	7	8	4
9	8	4	6	2	7	5	1	3
5	3	7	2	6	9	1	4	8
2	4	8	7	5	1	3	9	6
6	1	9	8	3	4	2	7	5

Puzzle #136 (Medium, Difficulty Rating: 49.00)

6	8	5	9	4	3	1	2	7
1	4	2	7	6	8	5	3	9
3	9	7	1	5	2	4	8	6
5	2	9	4	8	6	7	1	3
8	6	3	5	7	1	9	4	2
4	7	1	3	2	9	6	5	8
2	1	8	6	9	5	3	7	4
9	5	4	2	3	7	8	6	1
7	3	6	8	1	4	2	9	5

Puzzle #137 (Medium, Difficulty Rating: 52.92)

2	3	4	5	6	1	8	7	9
6	5	8	9	7	4	2	3	1
9	7	1	3	8	2	6	4	5
4	9	5	7	2	6	1	8	3
3	8	2	1	4	5	9	6	7
1	6	7	8	3	9	5	2	4
7	1	6	4	9	8	3	5	2
8	4	9	2	5	3	7	1	6
5	2	3	6	1	7	4	9	8

Puzzle #138 (Medium, Difficulty Rating: 57.82)

4	6	1	3	2	9	5	8	7
9	2	7	6	8	5	3	4	1
3	8	5	1	4	7	2	9	6
1	4	2	9	5	3	7	6	8
5	7	8	4	6	1	9	2	3
6	3	9	8	7	2	1	5	4
2	9	4	7	3	8	6	1	5
7	1	6	5	9	4	8	3	2
8	5	3	2	1	6	4	7	9

Puzzle #139 (Medium, Difficulty Rating: 51.94)

2	3	8	9	7	6	5	1	4
5	1	9	8	2	4	6	3	7
7	4	6	5	3	1	8	2	9
8	2	4	6	1	7	9	5	3
1	9	7	3	8	5	4	6	2
6	5	3	4	9	2	7	8	1
4	8	2	7	5	3	1	9	6
3	7	5	1	6	9	2	4	8
9	6	1	2	4	8	3	7	5

Puzzle #140 (Medium, Difficulty Rating: 47.04)

5	3	8	9	2	7	1	4	6
2	4	9	6	1	3	8	5	7
6	1	7	8	4	5	9	2	3
3	8	1	5	9	6	4	7	2
9	7	5	4	3	2	6	8	1
4	6	2	7	8	1	3	9	5
1	9	3	2	7	4	5	6	8
7	5	4	1	6	8	2	3	9
8	2	6	3	5	9	7	1	4

Puzzle #141 (Medium, Difficulty Rating: 47.04)

3	9	5	7	2	1	8	4	6
6	1	7	8	4	9	2	3	5
8	2	4	3	6	5	9	1	7
2	3	1	5	9	7	4	6	8
7	4	6	2	8	3	5	9	1
9	5	8	4	1	6	3	7	2
1	7	2	9	3	8	6	5	4
5	8	9	6	7	4	1	2	3
4	6	3	1	5	2	7	8	9

Puzzle #142 (Medium, Difficulty Rating: 55.86)

8	1	9	6	3	4	5	2	7
7	4	6	2	9	5	8	1	3
3	5	2	8	7	1	6	4	9
9	2	7	5	1	6	4	3	8
4	3	5	9	8	7	1	6	2
1	6	8	4	2	3	9	7	5
6	9	4	3	5	2	7	8	1
2	8	1	7	6	9	3	5	4
5	7	3	1	4	8	2	9	6

Puzzle #143 (Medium, Difficulty Rating: 50.96)

4	9	6	7	1	3	8	5	2
2	5	7	6	8	4	9	1	3
8	3	1	9	5	2	4	6	7
3	4	8	1	9	5	7	2	6
9	7	5	2	3	6	1	8	4
6	1	2	8	4	7	3	9	5
7	8	4	5	6	1	2	3	9
1	6	3	4	2	9	5	7	8
5	2	9	3	7	8	6	4	1

Puzzle #144 (Medium, Difficulty Rating: 52.92)

6	9	8	4	3	7	2	1	5
5	1	2	6	8	9	3	7	4
4	7	3	2	5	1	6	8	9
2	8	1	7	4	5	9	3	6
3	6	9	8	1	2	5	4	7
7	5	4	3	9	6	8	2	1
1	2	7	5	6	3	4	9	8
9	4	5	1	2	8	7	6	3
8	3	6	9	7	4	1	5	2

Puzzle #145 (Medium, Difficulty Rating: 49.00)

9	3	8	4	2	6	1	5	7
4	7	2	1	3	5	9	8	6
6	5	1	9	8	7	3	4	2
3	8	6	7	4	9	5	2	1
1	9	5	2	6	8	7	3	4
7	2	4	3	5	1	6	9	8
8	6	9	5	7	2	4	1	3
2	1	3	6	9	4	8	7	5
5	4	7	8	1	3	2	6	9

Puzzle #146 (Medium, Difficulty Rating: 55.86)

6	4	1	3	5	7	2	9	8
7	5	2	8	9	6	1	3	4
8	9	3	1	2	4	5	6	7
2	8	6	5	4	9	7	1	3
9	3	7	6	1	8	4	2	5
5	1	4	7	3	2	6	8	9
4	6	9	2	8	5	3	7	1
1	7	8	4	6	3	9	5	2
3	2	5	9	7	1	8	4	6

Puzzle #147 (Medium, Difficulty Rating: 47.04)

9	3	8	6	5	2	4	7	1
5	7	2	4	1	3	9	8	6
6	1	4	8	9	7	5	2	3
1	8	3	5	4	9	7	6	2
7	4	5	1	2	6	8	3	9
2	6	9	7	3	8	1	4	5
3	5	7	9	6	4	2	1	8
4	2	1	3	8	5	6	9	7
8	9	6	2	7	1	3	5	4

Puzzle #148 (Medium, Difficulty Rating: 49.98)

7	3	8	9	6	1	5	2	4
6	2	1	7	4	5	8	9	3
4	9	5	8	3	2	7	1	6
9	5	4	2	1	6	3	8	7
3	8	2	4	9	7	6	5	1
1	7	6	5	8	3	2	4	9
2	6	3	1	5	9	4	7	8
8	1	7	3	2	4	9	6	5
5	4	9	6	7	8	1	3	2

Puzzle #149 (Medium, Difficulty Rating: 49.00)

6	7	2	8	5	3	4	9	1
1	9	3	6	4	2	7	8	5
8	5	4	7	1	9	3	2	6
5	2	9	3	8	4	6	1	7
3	4	6	2	7	1	9	5	8
7	8	1	9	6	5	2	3	4
9	6	8	1	3	7	5	4	2
4	3	7	5	2	8	1	6	9
2	1	5	4	9	6	8	7	3

Puzzle #150 (Medium, Difficulty Rating: 47.04)

2	1	5	6	9	3	8	4	7
6	9	4	7	2	8	1	3	5
8	7	3	4	1	5	6	9	2
3	4	7	5	6	2	9	8	1
5	8	1	9	3	4	2	7	6
9	2	6	1	8	7	4	5	3
7	5	8	2	4	1	3	6	9
1	3	9	8	5	6	7	2	4
4	6	2	3	7	9	5	1	8

Puzzle #151 (Medium, Difficulty Rating: 52.92)

4	3	7	8	5	9	1	6	2
9	8	5	2	1	6	4	3	7
2	1	6	7	4	3	9	8	5
3	4	2	9	6	5	7	1	8
7	9	1	3	2	8	5	4	6
5	6	8	1	7	4	2	9	3
1	5	4	6	8	2	3	7	9
6	7	3	5	9	1	8	2	4
8	2	9	4	3	7	6	5	1

Puzzle #152 (Medium, Difficulty Rating: 49.98)

5	8	3	6	1	2	9	7	4
6	9	7	4	8	3	1	5	2
2	4	1	9	5	7	8	3	6
7	6	5	2	4	9	3	8	1
1	2	9	3	6	8	7	4	5
8	3	4	5	7	1	6	2	9
3	5	2	8	9	6	4	1	7
9	1	8	7	2	4	5	6	3
4	7	6	1	3	5	2	9	8

Puzzle #153 (Medium, Difficulty Rating: 45.08)

6	5	3	2	9	7	8	4	1
8	4	2	1	3	5	6	7	9
9	7	1	6	8	4	5	2	3
4	1	9	5	2	8	3	6	7
5	2	8	3	7	6	9	1	4
3	6	7	4	1	9	2	5	8
2	3	6	8	4	1	7	9	5
7	8	4	9	5	2	1	3	6
1	9	5	7	6	3	4	8	2

Puzzle #154 (Medium, Difficulty Rating: 46.06)

3	4	5	2	6	1	9	7	8
9	1	6	8	7	4	3	2	5
2	7	8	9	5	3	4	6	1
1	3	2	5	9	7	8	4	6
5	8	7	4	2	6	1	9	3
6	9	4	3	1	8	7	5	2
7	6	9	1	8	5	2	3	4
8	2	3	6	4	9	5	1	7
4	5	1	7	3	2	6	8	9

Puzzle #155 (Medium, Difficulty Rating: 52.92)

8	1	9	3	5	4	7	2	6
4	3	6	2	7	1	8	9	5
5	2	7	8	6	9	4	1	3
7	4	3	1	8	5	9	6	2
6	8	5	4	9	2	3	7	1
1	9	2	7	3	6	5	8	4
9	6	8	5	2	3	1	4	7
3	7	1	6	4	8	2	5	9
2	5	4	9	1	7	6	3	8

Puzzle #156 (Medium, Difficulty Rating: 46.06)

1	5	3	7	2	6	4	8	9
6	4	2	1	9	8	3	5	7
9	8	7	5	3	4	1	6	2
8	9	4	3	6	7	2	1	5
7	3	5	2	8	1	6	9	4
2	6	1	4	5	9	8	7	3
4	7	9	8	1	3	5	2	6
5	1	6	9	4	2	7	3	8
3	2	8	6	7	5	9	4	1

Puzzle #157 (Medium, Difficulty Rating: 54.88)

5	3	4	1	9	7	8	6	2
2	1	9	8	4	6	5	3	7
7	8	6	5	3	2	1	4	9
4	9	1	3	7	8	6	2	5
3	2	5	6	1	9	4	7	8
6	7	8	2	5	4	3	9	1
9	4	3	7	8	1	2	5	6
8	6	7	4	2	5	9	1	3
1	5	2	9	6	3	7	8	4

Puzzle #158 (Medium, Difficulty Rating: 55.86)

2	4	8	9	1	7	6	5	3
7	9	6	5	4	3	2	8	1
1	3	5	2	6	8	7	9	4
5	6	7	4	2	9	3	1	8
4	8	1	7	3	6	9	2	5
9	2	3	1	8	5	4	6	7
3	1	2	8	9	4	5	7	6
8	7	4	6	5	2	1	3	9
6	5	9	3	7	1	8	4	2

Puzzle #159 (Medium, Difficulty Rating: 48.02)

9	4	2	5	1	3	6	8	7
6	8	1	2	7	9	5	3	4
3	5	7	6	8	4	9	2	1
4	7	6	8	3	5	1	9	2
2	9	3	7	6	1	4	5	8
5	1	8	9	4	2	7	6	3
1	2	9	4	5	8	3	7	6
7	3	5	1	2	6	8	4	9
8	6	4	3	9	7	2	1	5

Puzzle #160 (Medium, Difficulty Rating: 55.86)

3	2	6	5	1	9	4	8	7
4	8	7	6	2	3	9	5	1
9	5	1	7	4	8	2	6	3
8	7	9	3	5	1	6	4	2
6	1	3	2	8	4	5	7	9
5	4	2	9	6	7	1	3	8
1	3	8	4	9	6	7	2	5
7	6	5	1	3	2	8	9	4
2	9	4	8	7	5	3	1	6

Puzzle #161 (Medium, Difficulty Rating: 49.98)

9	3	5	7	8	1	2	4	6
4	6	8	9	5	2	7	3	1
7	2	1	3	6	4	8	9	5
1	5	7	8	9	3	6	2	4
2	9	3	1	4	6	5	8	7
6	8	4	5	2	7	9	1	3
8	1	6	2	3	5	4	7	9
3	4	9	6	7	8	1	5	2
5	7	2	4	1	9	3	6	8

Puzzle #162 (Medium, Difficulty Rating: 52.92)

5	2	9	6	7	4	8	1	3
8	3	7	1	5	9	6	4	2
6	1	4	3	8	2	5	7	9
4	7	8	5	9	3	2	6	1
9	5	2	7	1	6	4	3	8
3	6	1	2	4	8	9	5	7
2	9	3	4	6	7	1	8	5
1	8	6	9	3	5	7	2	4
7	4	5	8	2	1	3	9	6

Puzzle #163 (Medium, Difficulty Rating: 56.84)

5	2	3	8	7	1	4	6	9
7	6	4	9	2	5	3	8	1
8	1	9	3	6	4	5	7	2
2	9	6	5	4	3	8	1	7
3	7	8	6	1	2	9	4	5
4	5	1	7	9	8	2	3	6
6	4	7	2	3	9	1	5	8
1	8	2	4	5	6	7	9	3
9	3	5	1	8	7	6	2	4

Puzzle #164 (Medium, Difficulty Rating: 57.82)

4	7	5	8	3	9	2	6	1
3	1	2	5	4	6	9	8	7
8	6	9	1	2	7	5	4	3
6	4	8	9	1	2	3	7	5
7	9	1	3	5	4	8	2	6
5	2	3	7	6	8	1	9	4
9	5	4	2	7	3	6	1	8
1	8	7	6	9	5	4	3	2
2	3	6	4	8	1	7	5	9

Puzzle #165 (Medium, Difficulty Rating: 45.08)

1	7	6	5	4	9	2	8	3
8	5	3	1	7	2	4	9	6
2	9	4	3	8	6	1	5	7
5	4	2	7	9	1	3	6	8
9	3	8	6	2	5	7	4	1
6	1	7	4	3	8	9	2	5
4	6	5	9	1	7	8	3	2
3	2	1	8	6	4	5	7	9
7	8	9	2	5	3	6	1	4

Puzzle #166 (Medium, Difficulty Rating: 54.88)

7	4	5	8	6	1	3	9	2
8	9	1	3	7	2	4	6	5
2	3	6	4	9	5	1	7	8
3	2	4	9	5	7	8	1	6
1	5	7	2	8	6	9	4	3
6	8	9	1	4	3	2	5	7
5	1	8	6	2	4	7	3	9
9	7	3	5	1	8	6	2	4
4	6	2	7	3	9	5	8	1

Puzzle #167 (Medium, Difficulty Rating: 49.00)

1	2	5	6	9	4	8	7	3
6	3	4	7	8	2	1	9	5
8	9	7	1	3	5	6	2	4
3	7	8	4	6	9	5	1	2
9	1	2	5	7	8	4	3	6
5	4	6	3	2	1	9	8	7
4	6	9	2	1	7	3	5	8
2	5	1	8	4	3	7	6	9
7	8	3	9	5	6	2	4	1

Puzzle #168 (Medium, Difficulty Rating: 48.02)

7	5	2	3	1	9	4	8	6
3	8	1	4	2	6	7	5	9
6	9	4	7	8	5	3	1	2
1	7	5	6	4	3	9	2	8
9	6	8	2	5	7	1	3	4
2	4	3	8	9	1	5	6	7
8	2	9	1	3	4	6	7	5
4	1	6	5	7	2	8	9	3
5	3	7	9	6	8	2	4	1

Puzzle #169 (Medium, Difficulty Rating: 49.00)

6	3	2	4	1	5	9	7	8
4	1	5	7	9	8	2	6	3
8	7	9	6	3	2	1	5	4
7	9	4	5	2	1	3	8	6
5	2	6	8	7	3	4	9	1
1	8	3	9	4	6	5	2	7
3	6	1	2	5	7	8	4	9
9	5	8	1	6	4	7	3	2
2	4	7	3	8	9	6	1	5

Puzzle #170 (Medium, Difficulty Rating: 48.02)

2	7	3	8	5	1	9	6	4
1	6	4	9	7	2	8	5	3
5	9	8	6	3	4	7	2	1
4	5	1	7	9	8	6	3	2
3	2	9	5	4	6	1	8	7
6	8	7	1	2	3	4	9	5
9	1	2	4	8	5	3	7	6
8	4	5	3	6	7	2	1	9
7	3	6	2	1	9	5	4	8

Puzzle #171 (Medium, Difficulty Rating: 57.82)

1	5	2	4	3	6	7	8	9
9	7	6	5	1	8	3	4	2
8	3	4	7	9	2	1	5	6
7	4	5	8	2	1	6	9	3
6	1	3	9	5	7	8	2	4
2	8	9	6	4	3	5	7	1
4	9	8	1	6	5	2	3	7
3	6	7	2	8	9	4	1	5
5	2	1	3	7	4	9	6	8

Puzzle #172 (Medium, Difficulty Rating: 49.00)

4	3	7	8	5	9	1	6	2
9	8	5	2	1	6	4	3	7
2	1	6	7	4	3	9	8	5
3	4	2	9	6	5	7	1	8
7	9	1	3	2	8	5	4	6
5	6	8	1	7	4	2	9	3
1	5	4	6	8	2	3	7	9
6	7	3	5	9	1	8	2	4
8	2	9	4	3	7	6	5	1

Puzzle #173 (Medium, Difficulty Rating: 57.82)

8	7	5	3	2	6	4	9	1
6	9	2	1	8	4	7	3	5
1	4	3	9	5	7	2	8	6
2	3	4	7	6	5	8	1	9
7	1	6	8	3	9	5	2	4
5	8	9	2	4	1	6	7	3
9	5	8	6	1	2	3	4	7
3	6	1	4	7	8	9	5	2
4	2	7	5	9	3	1	6	8

Puzzle #174 (Medium, Difficulty Rating: 53.90)

5	6	2	4	9	7	8	1	3
9	7	3	1	8	5	6	4	2
4	1	8	3	6	2	5	9	7
8	2	6	9	5	4	3	7	1
7	4	9	6	3	1	2	5	8
3	5	1	7	2	8	4	6	9
6	8	5	2	1	9	7	3	4
2	9	7	5	4	3	1	8	6
1	3	4	8	7	6	9	2	5

Puzzle #175 (Medium, Difficulty Rating: 49.00)

6	5	3	1	4	7	9	8	2
4	1	9	8	2	6	5	3	7
7	2	8	9	3	5	6	1	4
5	9	6	4	8	3	7	2	1
8	4	1	7	5	2	3	6	9
3	7	2	6	9	1	4	5	8
1	8	4	5	6	9	2	7	3
2	6	7	3	1	4	8	9	5
9	3	5	2	7	8	1	4	6

Puzzle #176 (Medium, Difficulty Rating: 56.84)

8	3	2	9	4	5	1	7	6
5	7	9	6	3	1	4	8	2
1	4	6	8	7	2	5	3	9
6	1	5	3	2	9	8	4	7
3	9	4	7	5	8	6	2	1
7	2	8	4	1	6	9	5	3
2	8	3	1	9	4	7	6	5
9	6	7	5	8	3	2	1	4
4	5	1	2	6	7	3	9	8

Puzzle #177 (Medium, Difficulty Rating: 56.84)

2	1	8	6	5	4	7	3	9
3	5	7	9	8	1	6	4	2
9	6	4	3	2	7	5	8	1
5	9	2	4	3	6	1	7	8
4	3	1	8	7	2	9	6	5
8	7	6	5	1	9	4	2	3
7	4	3	2	9	5	8	1	6
1	8	9	7	6	3	2	5	4
6	2	5	1	4	8	3	9	7

Puzzle #178 (Medium, Difficulty Rating: 54.88)

1	7	2	9	5	3	4	6	8
4	9	3	6	8	2	5	1	7
5	8	6	1	7	4	2	3	9
6	1	7	3	4	8	9	5	2
9	5	4	2	6	7	1	8	3
2	3	8	5	9	1	6	7	4
7	2	1	4	3	6	8	9	5
3	6	9	8	2	5	7	4	1
8	4	5	7	1	9	3	2	6

Puzzle #179 (Medium, Difficulty Rating: 44.10)

2	7	9	4	1	8	3	6	5
1	5	8	3	7	6	4	9	2
3	4	6	9	5	2	8	7	1
8	2	1	6	4	5	9	3	7
6	3	5	2	9	7	1	4	8
4	9	7	8	3	1	2	5	6
7	1	3	5	2	9	6	8	4
9	6	2	7	8	4	5	1	3
5	8	4	1	6	3	7	2	9

Puzzle #180 (Medium, Difficulty Rating: 44.10)

6	9	8	1	5	2	3	4	7
4	7	1	9	3	8	6	2	5
5	3	2	6	4	7	8	1	9
7	4	9	3	8	5	2	6	1
3	1	6	2	7	9	5	8	4
8	2	5	4	1	6	7	9	3
2	5	7	8	9	1	4	3	6
1	6	3	5	2	4	9	7	8
9	8	4	7	6	3	1	5	2

Puzzle #181 (Medium, Difficulty Rating: 45.08)

4	3	9	6	8	1	7	5	2
2	5	1	9	7	3	4	6	8
8	6	7	4	5	2	1	9	3
6	2	5	8	4	9	3	1	7
3	7	4	2	1	5	9	8	6
9	1	8	7	3	6	2	4	5
7	9	2	1	6	8	5	3	4
1	8	3	5	2	4	6	7	9
5	4	6	3	9	7	8	2	1

Puzzle #182 (Medium, Difficulty Rating: 53.90)

3	8	2	4	6	7	1	9	5
9	7	1	2	5	3	6	8	4
5	6	4	9	8	1	2	7	3
8	5	6	3	7	9	4	2	1
4	2	7	8	1	6	3	5	9
1	9	3	5	4	2	7	6	8
7	4	5	1	2	8	9	3	6
6	1	9	7	3	5	8	4	2
2	3	8	6	9	4	5	1	7

Puzzle #183 (Medium, Difficulty Rating: 46.06)

2	9	7	5	8	6	4	3	1
6	3	8	4	1	2	5	9	7
1	5	4	7	9	3	2	6	8
5	8	9	1	2	4	3	7	6
4	6	2	3	7	9	8	1	5
7	1	3	6	5	8	9	4	2
9	2	6	8	4	7	1	5	3
8	7	1	9	3	5	6	2	4
3	4	5	2	6	1	7	8	9

Puzzle #184 (Medium, Difficulty Rating: 56.84)

5	1	6	4	9	2	3	7	8
4	2	7	8	3	5	1	9	6
9	8	3	6	7	1	2	5	4
7	5	9	2	8	3	6	4	1
6	3	2	1	5	4	9	8	7
8	4	1	9	6	7	5	3	2
3	9	4	7	1	6	8	2	5
2	6	5	3	4	8	7	1	9
1	7	8	5	2	9	4	6	3

Puzzle #185 (Medium, Difficulty Rating: 49.98)

5	1	3	6	7	9	4	8	2
9	7	8	3	2	4	1	5	6
6	4	2	1	5	8	3	9	7
2	6	9	5	4	7	8	3	1
7	3	5	8	1	6	2	4	9
4	8	1	9	3	2	7	6	5
1	9	6	2	8	3	5	7	4
3	2	7	4	9	5	6	1	8
8	5	4	7	6	1	9	2	3

Puzzle #186 (Medium, Difficulty Rating: 49.00)

8	3	6	4	7	2	1	5	9
1	7	2	6	5	9	3	4	8
9	5	4	8	3	1	2	7	6
4	2	3	9	6	5	7	8	1
6	8	7	3	1	4	9	2	5
5	9	1	2	8	7	6	3	4
3	1	8	7	4	6	5	9	2
7	6	9	5	2	8	4	1	3
2	4	5	1	9	3	8	6	7

Puzzle #187 (Medium, Difficulty Rating: 53.90)

4	1	8	7	5	3	2	9	6
5	7	2	4	6	9	8	3	1
9	6	3	8	1	2	4	7	5
1	9	6	5	8	7	3	4	2
2	8	5	9	3	4	1	6	7
7	3	4	1	2	6	5	8	9
8	5	7	6	4	1	9	2	3
3	4	9	2	7	5	6	1	8
6	2	1	3	9	8	7	5	4

Puzzle #188 (Medium, Difficulty Rating: 54.88)

1	8	6	4	5	7	2	3	9
2	4	5	9	1	3	7	6	8
9	7	3	6	8	2	5	1	4
6	5	4	8	7	9	3	2	1
8	1	2	5	3	4	6	9	7
7	3	9	1	2	6	8	4	5
3	9	7	2	4	8	1	5	6
5	6	8	3	9	1	4	7	2
4	2	1	7	6	5	9	8	3

Puzzle #189 (Medium, Difficulty Rating: 56.84)

4	3	9	7	8	6	2	5	1
1	8	6	2	5	3	9	7	4
2	5	7	4	9	1	3	8	6
3	7	8	1	6	5	4	2	9
6	4	5	9	2	7	8	1	3
9	1	2	3	4	8	7	6	5
5	2	1	8	3	4	6	9	7
7	9	3	6	1	2	5	4	8
8	6	4	5	7	9	1	3	2

Puzzle #190 (Medium, Difficulty Rating: 44.10)

9	3	2	5	1	6	4	7	8
6	7	5	4	2	8	1	9	3
1	4	8	3	9	7	2	5	6
5	9	3	6	4	2	7	8	1
8	6	4	7	5	1	9	3	2
7	2	1	9	8	3	5	6	4
2	8	6	1	7	9	3	4	5
4	1	9	8	3	5	6	2	7
3	5	7	2	6	4	8	1	9

Puzzle #191 (Medium, Difficulty Rating: 56.84)

6	8	7	3	4	2	1	5	9
2	9	4	1	5	8	7	6	3
1	3	5	9	7	6	2	8	4
4	1	9	7	6	5	8	3	2
7	6	3	8	2	1	9	4	5
5	2	8	4	9	3	6	1	7
3	5	6	2	8	9	4	7	1
8	7	2	5	1	4	3	9	6
9	4	1	6	3	7	5	2	8

Puzzle #192 (Medium, Difficulty Rating: 54.88)

6	1	7	5	9	3	4	2	8
9	5	3	2	8	4	1	7	6
4	2	8	1	6	7	5	3	9
7	9	2	4	5	8	6	1	3
3	4	6	9	1	2	8	5	7
5	8	1	7	3	6	9	4	2
1	7	5	8	2	9	3	6	4
8	6	4	3	7	1	2	9	5
2	3	9	6	4	5	7	8	1

Puzzle #193 (Medium, Difficulty Rating: 49.98)

2	5	9	8	4	1	7	3	6
7	3	4	5	6	9	1	2	8
8	1	6	2	3	7	4	9	5
5	4	2	1	8	6	9	7	3
9	8	1	7	5	3	6	4	2
3	6	7	9	2	4	8	5	1
4	7	3	6	1	2	5	8	9
1	2	5	4	9	8	3	6	7
6	9	8	3	7	5	2	1	4

Puzzle #194 (Medium, Difficulty Rating: 58.80)

4	3	2	9	5	8	1	6	7
8	5	1	2	6	7	3	9	4
9	7	6	3	1	4	2	8	5
5	6	7	1	9	2	4	3	8
1	4	3	5	8	6	9	7	2
2	8	9	4	7	3	5	1	6
6	1	4	8	3	5	7	2	9
3	2	8	7	4	9	6	5	1
7	9	5	6	2	1	8	4	3

Puzzle #195 (Medium, Difficulty Rating: 52.92)

1	2	5	3	6	9	4	7	8
4	6	8	5	7	1	9	3	2
9	3	7	8	2	4	6	5	1
2	9	1	6	5	3	7	8	4
7	4	6	1	8	2	3	9	5
8	5	3	4	9	7	2	1	6
6	1	2	9	3	8	5	4	7
5	8	9	7	4	6	1	2	3
3	7	4	2	1	5	8	6	9

Puzzle #196 (Medium, Difficulty Rating: 52.92)

8	9	1	3	2	5	4	7	6
2	7	6	8	4	9	1	3	5
3	5	4	7	1	6	2	8	9
7	1	5	2	6	8	3	9	4
6	3	2	4	9	1	8	5	7
9	4	8	5	7	3	6	2	1
4	2	9	6	8	7	5	1	3
1	8	3	9	5	4	7	6	2
5	6	7	1	3	2	9	4	8

Puzzle #197 (Medium, Difficulty Rating: 52.92)

6	9	7	1	5	3	8	2	4
5	2	4	8	9	7	1	3	6
3	8	1	4	6	2	7	9	5
1	3	6	5	7	9	4	8	2
8	4	9	2	1	6	3	5	7
2	7	5	3	8	4	9	6	1
7	6	8	9	4	5	2	1	3
4	1	2	6	3	8	5	7	9
9	5	3	7	2	1	6	4	8

Puzzle #198 (Medium, Difficulty Rating: 52.92)

6	9	3	7	4	2	8	5	1
7	1	8	9	5	6	2	3	4
4	2	5	3	8	1	7	6	9
3	6	2	1	7	5	4	9	8
1	5	7	4	9	8	3	2	6
9	8	4	2	6	3	1	7	5
2	7	6	5	1	4	9	8	3
5	3	1	8	2	9	6	4	7
8	4	9	6	3	7	5	1	2

Puzzle #199 (Medium, Difficulty Rating: 50.96)

6	1	3	5	2	7	9	4	8
8	5	9	3	1	4	7	6	2
7	2	4	9	6	8	1	3	5
9	4	6	8	7	3	5	2	1
5	8	1	2	9	6	3	7	4
3	7	2	4	5	1	8	9	6
1	9	8	7	4	2	6	5	3
2	3	5	6	8	9	4	1	7
4	6	7	1	3	5	2	8	9

Puzzle #200 (Medium, Difficulty Rating: 50.96)

6	3	8	5	7	4	9	2	1
4	1	2	8	9	6	7	5	3
5	9	7	2	1	3	4	8	6
9	8	1	6	4	2	3	7	5
7	2	6	3	5	9	8	1	4
3	5	4	1	8	7	6	9	2
1	7	9	4	6	5	2	3	8
2	4	5	9	3	8	1	6	7
8	6	3	7	2	1	5	4	9

Puzzle #201 (Medium, Difficulty Rating: 49.98)

9	7	5	6	8	4	3	1	2
2	4	8	5	1	3	9	6	7
6	1	3	9	2	7	8	4	5
8	6	1	3	4	2	5	7	9
3	9	4	7	6	5	1	2	8
7	5	2	8	9	1	4	3	6
1	8	9	4	7	6	2	5	3
5	2	7	1	3	9	6	8	4
4	3	6	2	5	8	7	9	1

Puzzle #202 (Medium, Difficulty Rating: 44.10)

5	4	2	1	8	9	3	6	7
3	9	1	6	7	2	4	8	5
6	7	8	4	3	5	9	2	1
4	2	7	3	5	1	6	9	8
1	3	6	9	2	8	7	5	4
9	8	5	7	6	4	1	3	2
8	6	4	2	9	7	5	1	3
7	5	3	8	1	6	2	4	9
2	1	9	5	4	3	8	7	6

Puzzle #203 (Medium, Difficulty Rating: 49.98)

6	2	9	3	7	8	4	5	1
8	1	4	6	2	5	3	9	7
5	7	3	9	4	1	6	8	2
3	9	5	4	6	7	1	2	8
7	8	6	2	1	3	5	4	9
2	4	1	5	8	9	7	6	3
9	3	8	7	5	6	2	1	4
1	6	2	8	3	4	9	7	5
4	5	7	1	9	2	8	3	6

Puzzle #204 (Medium, Difficulty Rating: 47.04)

5	2	6	1	3	9	8	4	7
1	9	7	4	6	8	5	3	2
8	4	3	7	2	5	6	1	9
7	5	9	2	8	3	4	6	1
3	1	2	6	5	4	9	7	8
4	6	8	9	7	1	2	5	3
9	8	5	3	4	7	1	2	6
6	3	1	5	9	2	7	8	4
2	7	4	8	1	6	3	9	5

Puzzle #205 (Medium, Difficulty Rating: 53.90)

4	9	3	2	7	8	5	6	1
6	8	2	1	5	9	4	3	7
1	5	7	6	3	4	8	9	2
8	4	5	7	9	1	6	2	3
3	6	1	5	4	2	7	8	9
7	2	9	3	8	6	1	5	4
9	1	8	4	2	5	3	7	6
2	3	6	8	1	7	9	4	5
5	7	4	9	6	3	2	1	8

Puzzle #206 (Medium, Difficulty Rating: 53.90)

7	2	1	6	9	5	4	8	3
4	5	6	8	1	3	7	2	9
3	9	8	4	7	2	1	6	5
5	7	2	3	8	6	9	4	1
1	8	4	7	5	9	6	3	2
6	3	9	2	4	1	8	5	7
2	6	7	1	3	8	5	9	4
8	4	5	9	2	7	3	1	6
9	1	3	5	6	4	2	7	8

Puzzle #207 (Medium, Difficulty Rating: 57.82)

6	7	4	5	2	9	3	1	8
3	5	2	8	1	7	9	4	6
9	1	8	6	4	3	7	5	2
7	8	3	9	5	1	6	2	4
2	9	5	4	7	6	1	8	3
4	6	1	2	3	8	5	9	7
1	2	6	3	9	4	8	7	5
8	4	7	1	6	5	2	3	9
5	3	9	7	8	2	4	6	1

Puzzle #208 (Medium, Difficulty Rating: 44.10)

2	8	5	3	6	7	9	4	1
6	9	1	4	2	8	7	5	3
7	4	3	9	1	5	6	8	2
3	1	4	7	5	9	2	6	8
8	5	6	2	3	1	4	7	9
9	7	2	8	4	6	1	3	5
5	6	7	1	8	2	3	9	4
4	2	9	5	7	3	8	1	6
1	3	8	6	9	4	5	2	7

Puzzle #209 (Medium, Difficulty Rating: 52.92)

2	8	4	3	9	1	7	6	5
1	6	5	2	4	7	3	8	9
7	9	3	6	5	8	2	4	1
3	5	9	7	6	2	4	1	8
4	2	1	5	8	9	6	7	3
8	7	6	1	3	4	5	9	2
9	3	8	4	7	5	1	2	6
5	4	2	9	1	6	8	3	7
6	1	7	8	2	3	9	5	4

Puzzle #210 (Medium, Difficulty Rating: 54.88)

4	9	6	3	8	1	5	7	2
7	3	8	2	9	5	6	1	4
2	1	5	6	7	4	8	3	9
6	7	1	4	2	8	3	9	5
8	4	9	7	5	3	1	2	6
3	5	2	1	6	9	7	4	8
1	2	3	8	4	6	9	5	7
9	6	4	5	1	7	2	8	3
5	8	7	9	3	2	4	6	1

Puzzle #211 (Medium, Difficulty Rating: 51.94)

2	4	9	1	5	8	6	3	7
7	8	5	2	6	3	1	4	9
3	6	1	7	9	4	5	2	8
6	3	4	9	8	2	7	5	1
9	2	7	6	1	5	4	8	3
1	5	8	3	4	7	2	9	6
4	9	6	8	2	1	3	7	5
5	1	3	4	7	9	8	6	2
8	7	2	5	3	6	9	1	4

Puzzle #212 (Medium, Difficulty Rating: 48.02)

9	6	1	3	7	2	5	8	4
3	2	4	5	6	8	9	1	7
7	8	5	9	1	4	3	6	2
8	4	9	6	5	3	2	7	1
6	3	7	8	2	1	4	5	9
5	1	2	4	9	7	6	3	8
1	5	8	2	3	9	7	4	6
2	7	6	1	4	5	8	9	3
4	9	3	7	8	6	1	2	5

Puzzle #213 (Medium, Difficulty Rating: 46.06)

6	4	3	1	2	7	5	8	9
9	5	2	6	8	4	3	1	7
8	7	1	5	3	9	6	2	4
7	3	8	9	4	5	1	6	2
2	1	5	7	6	8	4	9	3
4	9	6	2	1	3	7	5	8
5	8	7	3	9	1	2	4	6
3	6	4	8	5	2	9	7	1
1	2	9	4	7	6	8	3	5

Puzzle #214 (Medium, Difficulty Rating: 54.88)

8	4	1	3	5	6	2	7	9
6	5	2	7	9	4	8	3	1
3	9	7	8	2	1	5	4	6
7	6	5	2	3	8	9	1	4
2	1	4	6	7	9	3	8	5
9	8	3	4	1	5	7	6	2
5	3	6	1	8	2	4	9	7
4	7	9	5	6	3	1	2	8
1	2	8	9	4	7	6	5	3

Puzzle #215 (Medium, Difficulty Rating: 57.82)

8	1	9	6	5	3	2	4	7
6	4	7	1	2	8	5	3	9
2	5	3	4	7	9	6	8	1
1	7	6	3	9	4	8	2	5
4	3	8	5	1	2	7	9	6
9	2	5	7	8	6	3	1	4
3	6	1	8	4	5	9	7	2
7	8	2	9	6	1	4	5	3
5	9	4	2	3	7	1	6	8

Puzzle #216 (Medium, Difficulty Rating: 48.02)

9	2	7	6	1	5	4	3	8
5	3	8	4	9	7	1	2	6
6	1	4	2	8	3	7	5	9
2	8	9	1	4	6	3	7	5
3	6	5	8	7	2	9	1	4
7	4	1	5	3	9	8	6	2
4	7	6	9	2	1	5	8	3
8	5	3	7	6	4	2	9	1
1	9	2	3	5	8	6	4	7

Puzzle #217 (Medium, Difficulty Rating: 50.96)

4	9	3	6	8	2	1	5	7
7	6	8	3	5	1	2	9	4
2	5	1	7	9	4	8	3	6
9	3	4	1	2	7	5	6	8
1	8	6	5	3	9	4	7	2
5	2	7	8	4	6	9	1	3
8	7	9	4	1	3	6	2	5
3	1	5	2	6	8	7	4	9
6	4	2	9	7	5	3	8	1

Puzzle #218 (Medium, Difficulty Rating: 57.82)

9	8	5	3	6	4	1	7	2
7	2	3	1	8	5	9	4	6
6	1	4	2	9	7	5	3	8
8	5	6	7	3	9	4	2	1
2	3	9	4	1	8	7	6	5
1	4	7	5	2	6	3	8	9
5	9	8	6	4	3	2	1	7
4	6	1	9	7	2	8	5	3
3	7	2	8	5	1	6	9	4

Puzzle #219 (Medium, Difficulty Rating: 55.86)

9	5	6	3	8	1	7	4	2
3	7	4	6	2	9	8	1	5
1	8	2	5	7	4	3	6	9
4	1	5	2	3	8	6	9	7
8	2	9	1	6	7	4	5	3
6	3	7	9	4	5	1	2	8
5	9	8	4	1	3	2	7	6
2	4	3	7	5	6	9	8	1
7	6	1	8	9	2	5	3	4

Puzzle #220 (Medium, Difficulty Rating: 49.98)

7	1	4	5	3	2	8	9	6
3	9	8	6	1	7	2	4	5
6	2	5	9	8	4	1	7	3
8	4	6	1	5	3	9	2	7
9	7	2	8	4	6	3	5	1
1	5	3	7	2	9	4	6	8
5	3	7	2	9	1	6	8	4
2	6	1	4	7	8	5	3	9
4	8	9	3	6	5	7	1	2

Puzzle #221 (Medium, Difficulty Rating: 53.90)

7	6	1	9	5	3	8	2	4
4	8	3	6	2	1	7	9	5
2	9	5	8	4	7	6	3	1
5	7	6	4	3	9	2	1	8
3	1	9	2	7	8	5	4	6
8	4	2	1	6	5	3	7	9
9	2	8	7	1	6	4	5	3
6	3	7	5	9	4	1	8	2
1	5	4	3	8	2	9	6	7

Puzzle #222 (Medium, Difficulty Rating: 48.02)

4	8	3	2	5	9	1	6	7
5	6	2	7	1	8	9	4	3
1	7	9	6	3	4	5	2	8
9	2	1	5	8	3	4	7	6
7	4	5	1	6	2	3	8	9
6	3	8	4	9	7	2	1	5
2	9	4	3	7	6	8	5	1
3	5	6	8	4	1	7	9	2
8	1	7	9	2	5	6	3	4

Puzzle #223 (Medium, Difficulty Rating: 52.92)

3	6	9	1	4	2	7	8	5
8	4	5	7	9	6	2	3	1
7	1	2	8	3	5	6	4	9
6	8	1	5	2	9	4	7	3
9	2	4	3	7	1	5	6	8
5	7	3	4	6	8	1	9	2
4	5	7	9	1	3	8	2	6
1	3	6	2	8	7	9	5	4
2	9	8	6	5	4	3	1	7

Puzzle #224 (Medium, Difficulty Rating: 46.06)

8	2	5	4	6	3	1	9	7
6	9	4	2	1	7	8	3	5
7	1	3	8	5	9	6	2	4
1	7	2	5	4	8	3	6	9
4	5	8	3	9	6	7	1	2
9	3	6	1	7	2	5	4	8
5	8	1	9	3	4	2	7	6
2	4	7	6	8	1	9	5	3
3	6	9	7	2	5	4	8	1

Puzzle #225 (Medium, Difficulty Rating: 54.88)

4	8	2	6	3	9	1	5	7
5	6	7	1	8	4	9	2	3
9	3	1	2	5	7	8	6	4
1	7	8	9	6	3	5	4	2
2	9	6	5	4	1	7	3	8
3	4	5	7	2	8	6	1	9
7	2	9	3	1	5	4	8	6
6	5	4	8	9	2	3	7	1
8	1	3	4	7	6	2	9	5

Puzzle #226 (Medium, Difficulty Rating: 49.98)

4	3	2	7	6	9	1	8	5
1	7	6	8	4	5	3	2	9
9	5	8	1	3	2	4	7	6
8	9	4	5	7	3	6	1	2
3	2	1	6	9	8	7	5	4
5	6	7	4	2	1	8	9	3
7	4	9	2	1	6	5	3	8
6	8	3	9	5	7	2	4	1
2	1	5	3	8	4	9	6	7

Puzzle #227 (Medium, Difficulty Rating: 48.02)

6	3	1	5	9	2	7	8	4
8	9	5	7	4	1	3	6	2
7	4	2	3	8	6	1	5	9
9	7	8	4	1	3	6	2	5
2	1	3	9	6	5	8	4	7
4	5	6	8	2	7	9	3	1
5	2	7	6	3	9	4	1	8
1	6	4	2	7	8	5	9	3
3	8	9	1	5	4	2	7	6

Puzzle #228 (Medium, Difficulty Rating: 49.00)

9	1	2	6	5	4	8	3	7
7	5	8	1	3	9	2	6	4
6	4	3	2	7	8	1	5	9
4	3	5	8	1	6	9	7	2
1	9	7	4	2	3	6	8	5
8	2	6	5	9	7	3	4	1
3	8	1	7	4	2	5	9	6
2	6	4	9	8	5	7	1	3
5	7	9	3	6	1	4	2	8

Puzzle #229 (Medium, Difficulty Rating: 49.00)

4	2	3	9	1	6	5	8	7
5	6	1	3	8	7	2	9	4
7	8	9	5	4	2	6	1	3
6	1	4	7	2	9	8	3	5
8	3	7	4	5	1	9	2	6
9	5	2	8	6	3	7	4	1
2	9	6	1	3	5	4	7	8
1	4	5	2	7	8	3	6	9
3	7	8	6	9	4	1	5	2

Puzzle #230 (Medium, Difficulty Rating: 47.04)

3	5	1	6	7	2	8	4	9
9	6	4	5	8	1	7	3	2
2	7	8	4	9	3	5	1	6
1	8	6	3	2	9	4	7	5
7	2	5	8	6	4	3	9	1
4	3	9	1	5	7	6	2	8
8	1	7	9	3	6	2	5	4
5	9	2	7	4	8	1	6	3
6	4	3	2	1	5	9	8	7

Puzzle #231 (Medium, Difficulty Rating: 49.00)

8	5	1	6	9	2	4	7	3
3	7	6	4	1	8	9	5	2
4	2	9	3	5	7	6	1	8
9	8	7	2	3	1	5	6	4
1	6	3	7	4	5	8	2	9
5	4	2	9	8	6	7	3	1
6	1	4	5	2	9	3	8	7
2	3	5	8	7	4	1	9	6
7	9	8	1	6	3	2	4	5

Puzzle #232 (Medium, Difficulty Rating: 47.04)

4	7	9	1	6	8	5	3	2
1	6	2	5	3	9	8	7	4
3	5	8	7	2	4	9	6	1
8	4	5	9	7	6	2	1	3
2	9	6	3	4	1	7	5	8
7	3	1	8	5	2	4	9	6
9	2	4	6	1	5	3	8	7
6	8	3	2	9	7	1	4	5
5	1	7	4	8	3	6	2	9

Puzzle #233 (Medium, Difficulty Rating: 47.04)

3	2	7	6	8	1	9	5	4
1	4	6	9	7	5	2	3	8
5	9	8	3	4	2	7	1	6
9	6	3	1	2	8	4	7	5
7	8	1	4	5	6	3	2	9
4	5	2	7	9	3	6	8	1
2	1	4	5	3	9	8	6	7
6	3	9	8	1	7	5	4	2
8	7	5	2	6	4	1	9	3

Puzzle #234 (Medium, Difficulty Rating: 48.02)

5	8	4	9	2	1	6	7	3
9	1	6	3	8	7	4	5	2
2	3	7	6	4	5	8	9	1
3	5	2	7	6	8	9	1	4
6	4	1	2	9	3	5	8	7
8	7	9	5	1	4	2	3	6
4	9	3	8	7	6	1	2	5
1	2	5	4	3	9	7	6	8
7	6	8	1	5	2	3	4	9

Puzzle #235 (Medium, Difficulty Rating: 55.86)

8	6	5	1	9	7	2	4	3
1	3	9	8	2	4	6	5	7
7	4	2	5	6	3	1	9	8
9	2	6	3	8	1	5	7	4
4	7	8	2	5	6	9	3	1
3	5	1	7	4	9	8	6	2
6	9	7	4	1	2	3	8	5
2	8	3	9	7	5	4	1	6
5	1	4	6	3	8	7	2	9

Puzzle #236 (Medium, Difficulty Rating: 45.08)

3	2	5	6	8	7	1	9	4
8	1	6	4	5	9	3	7	2
9	4	7	2	3	1	6	5	8
1	6	2	8	7	5	4	3	9
7	5	9	1	4	3	8	2	6
4	8	3	9	6	2	5	1	7
2	3	4	7	1	6	9	8	5
6	9	1	5	2	8	7	4	3
5	7	8	3	9	4	2	6	1

Puzzle #237 (Medium, Difficulty Rating: 55.86)

5	2	3	4	1	6	8	9	7
9	7	6	3	2	8	4	5	1
1	8	4	7	5	9	6	3	2
4	3	2	1	8	7	5	6	9
7	5	9	6	4	2	3	1	8
8	6	1	9	3	5	2	7	4
6	1	5	2	9	4	7	8	3
2	9	8	5	7	3	1	4	6
3	4	7	8	6	1	9	2	5

Puzzle #238 (Medium, Difficulty Rating: 50.96)

8	9	3	2	7	4	6	5	1
1	2	7	3	6	5	8	9	4
6	5	4	1	9	8	2	7	3
2	8	1	7	3	9	5	4	6
3	4	5	6	8	1	7	2	9
9	7	6	5	4	2	1	3	8
7	6	8	4	2	3	9	1	5
5	3	9	8	1	7	4	6	2
4	1	2	9	5	6	3	8	7

Puzzle #239 (Medium, Difficulty Rating: 52.92)

8	9	7	6	1	5	4	3	2
3	1	4	8	7	2	6	9	5
5	6	2	4	9	3	8	1	7
4	2	1	9	8	7	3	5	6
7	5	3	2	4	6	1	8	9
9	8	6	3	5	1	2	7	4
1	4	9	5	2	8	7	6	3
2	3	8	7	6	9	5	4	1
6	7	5	1	3	4	9	2	8

Puzzle #240 (Medium, Difficulty Rating: 48.02)

8	6	5	9	2	3	7	4	1
1	4	2	5	7	8	9	3	6
7	3	9	6	1	4	5	2	8
9	1	7	3	8	6	4	5	2
3	2	4	1	5	7	8	6	9
5	8	6	4	9	2	1	7	3
2	5	8	7	3	9	6	1	4
6	9	1	2	4	5	3	8	7
4	7	3	8	6	1	2	9	5

Puzzle #241 (Medium, Difficulty Rating: 47.04)

9	6	2	7	4	5	1	3	8
5	4	1	3	8	9	2	7	6
7	3	8	2	6	1	5	4	9
1	2	6	8	7	4	9	5	3
4	9	7	6	5	3	8	1	2
3	8	5	9	1	2	7	6	4
8	5	3	1	9	6	4	2	7
2	7	4	5	3	8	6	9	1
6	1	9	4	2	7	3	8	5

Puzzle #242 (Medium, Difficulty Rating: 52.92)

9	8	6	2	5	7	1	3	4
2	5	4	8	1	3	9	7	6
1	7	3	9	6	4	5	8	2
3	9	7	4	8	6	2	5	1
5	6	2	7	3	1	8	4	9
8	4	1	5	9	2	7	6	3
6	3	8	1	7	9	4	2	5
7	2	9	6	4	5	3	1	8
4	1	5	3	2	8	6	9	7

Puzzle #243 (Medium, Difficulty Rating: 49.00)

8	4	1	9	5	7	2	6	3
9	5	2	8	6	3	4	7	1
7	6	3	2	4	1	5	8	9
1	2	7	3	8	6	9	4	5
5	9	8	1	7	4	3	2	6
6	3	4	5	9	2	7	1	8
4	8	6	7	3	5	1	9	2
2	7	5	6	1	9	8	3	4
3	1	9	4	2	8	6	5	7

Puzzle #244 (Medium, Difficulty Rating: 48.02)

2	6	8	4	9	3	1	5	7
7	4	9	2	1	5	8	6	3
3	5	1	8	7	6	4	9	2
4	8	2	3	6	7	5	1	9
9	3	5	1	4	8	7	2	6
1	7	6	5	2	9	3	4	8
8	9	4	7	5	2	6	3	1
6	1	3	9	8	4	2	7	5
5	2	7	6	3	1	9	8	4

Puzzle #245 (Medium, Difficulty Rating: 47.04)

8	6	5	7	2	1	4	3	9
9	2	7	4	8	3	1	5	6
1	3	4	5	9	6	2	7	8
6	9	1	3	7	2	8	4	5
7	8	3	6	5	4	9	1	2
4	5	2	9	1	8	3	6	7
3	1	9	2	6	5	7	8	4
5	7	8	1	4	9	6	2	3
2	4	6	8	3	7	5	9	1

Puzzle #246 (Medium, Difficulty Rating: 49.00)

3	5	4	8	9	2	1	6	7
9	7	1	4	3	6	5	2	8
6	8	2	5	7	1	3	9	4
8	4	9	3	2	5	6	7	1
2	1	3	9	6	7	4	8	5
7	6	5	1	8	4	2	3	9
4	2	8	7	5	3	9	1	6
1	9	6	2	4	8	7	5	3
5	3	7	6	1	9	8	4	2

Puzzle #247 (Medium, Difficulty Rating: 54.88)

3	8	2	6	5	9	4	1	7
7	1	4	3	2	8	6	5	9
9	5	6	7	4	1	2	8	3
4	6	9	5	1	7	3	2	8
1	7	3	8	6	2	5	9	4
8	2	5	9	3	4	7	6	1
6	4	1	2	9	3	8	7	5
2	3	8	1	7	5	9	4	6
5	9	7	4	8	6	1	3	2

Puzzle #248 (Medium, Difficulty Rating: 48.02)

9	5	8	3	1	4	2	6	7
2	4	3	7	9	6	5	1	8
7	1	6	8	5	2	3	4	9
1	3	9	6	2	8	7	5	4
8	7	4	5	3	1	9	2	6
5	6	2	9	4	7	8	3	1
6	9	5	4	8	3	1	7	2
4	8	1	2	7	5	6	9	3
3	2	7	1	6	9	4	8	5

Puzzle #249 (Medium, Difficulty Rating: 53.90)

4	5	6	3	9	2	1	8	7
3	8	1	4	7	5	2	6	9
7	2	9	1	8	6	3	4	5
8	6	3	9	5	1	7	2	4
2	9	5	6	4	7	8	1	3
1	4	7	2	3	8	5	9	6
6	7	2	5	1	9	4	3	8
5	1	4	8	6	3	9	7	2
9	3	8	7	2	4	6	5	1

Puzzle #250 (Medium, Difficulty Rating: 49.98)

2	8	4	5	3	6	9	1	7
3	1	7	8	9	4	5	6	2
6	9	5	2	7	1	4	8	3
4	2	6	1	8	9	3	7	5
8	3	1	7	5	2	6	4	9
5	7	9	4	6	3	8	2	1
9	5	8	6	1	7	2	3	4
1	4	3	9	2	8	7	5	6
7	6	2	3	4	5	1	9	8

Puzzle #251 (Medium, Difficulty Rating: 53.90)

8	9	2	7	6	3	1	4	5
7	5	6	4	1	8	3	2	9
4	1	3	9	2	5	8	6	7
1	3	7	8	9	2	4	5	6
6	2	9	1	5	4	7	3	8
5	4	8	6	3	7	9	1	2
3	7	4	2	8	6	5	9	1
9	6	5	3	7	1	2	8	4
2	8	1	5	4	9	6	7	3

Puzzle #252 (Medium, Difficulty Rating: 50.96)

2	3	4	5	6	1	8	7	9
6	5	8	9	7	4	2	3	1
9	7	1	3	8	2	6	4	5
4	9	5	7	2	6	1	8	3
3	8	2	1	4	5	9	6	7
1	6	7	8	3	9	5	2	4
7	1	6	4	9	8	3	5	2
8	4	9	2	5	3	7	1	6
5	2	3	6	1	7	4	9	8

Puzzle #253 (Medium, Difficulty Rating: 51.94)

9	6	5	1	2	4	7	3	8
3	4	8	9	5	7	1	6	2
2	7	1	6	8	3	4	9	5
4	8	6	3	7	1	2	5	9
5	9	7	2	4	8	3	1	6
1	3	2	5	6	9	8	7	4
6	2	4	7	1	5	9	8	3
7	5	9	8	3	2	6	4	1
8	1	3	4	9	6	5	2	7

Puzzle #254 (Medium, Difficulty Rating: 55.86)

6	8	1	2	9	7	3	5	4
9	2	3	5	6	4	1	7	8
7	4	5	8	1	3	6	9	2
8	5	9	6	2	1	4	3	7
2	6	4	3	7	8	9	1	5
3	1	7	4	5	9	2	8	6
1	9	6	7	4	5	8	2	3
4	7	8	1	3	2	5	6	9
5	3	2	9	8	6	7	4	1

Puzzle #255 (Medium, Difficulty Rating: 46.06)

1	5	7	6	8	2	3	4	9
4	3	2	5	1	9	6	8	7
6	9	8	3	4	7	2	5	1
8	2	5	4	7	6	1	9	3
7	1	3	9	2	8	4	6	5
9	6	4	1	3	5	7	2	8
5	4	1	2	9	3	8	7	6
2	8	9	7	6	1	5	3	4
3	7	6	8	5	4	9	1	2

Puzzle #256 (Medium, Difficulty Rating: 50.96)

6	4	3	9	5	7	2	8	1
5	8	1	3	4	2	6	7	9
9	2	7	8	6	1	5	4	3
1	9	4	5	7	3	8	6	2
7	3	2	6	8	9	1	5	4
8	6	5	2	1	4	9	3	7
3	5	9	4	2	8	7	1	6
4	7	6	1	9	5	3	2	8
2	1	8	7	3	6	4	9	5

Puzzle #257 (Medium, Difficulty Rating: 49.00)

1	4	2	7	3	9	5	6	8
5	3	9	1	6	8	2	7	4
7	6	8	2	5	4	9	3	1
3	1	4	9	8	6	7	2	5
8	9	5	3	7	2	1	4	6
2	7	6	4	1	5	3	8	9
4	5	3	6	9	7	8	1	2
9	2	7	8	4	1	6	5	3
6	8	1	5	2	3	4	9	7

Puzzle #258 (Medium, Difficulty Rating: 53.90)

8	5	1	7	2	9	6	4	3
3	9	7	5	6	4	2	8	1
4	2	6	8	3	1	5	7	9
5	6	9	2	4	7	3	1	8
1	3	2	9	5	8	7	6	4
7	4	8	6	1	3	9	5	2
9	8	5	4	7	2	1	3	6
2	7	3	1	8	6	4	9	5
6	1	4	3	9	5	8	2	7

Puzzle #259 (Medium, Difficulty Rating: 45.08)

1	5	8	7	3	2	4	6	9
7	2	6	4	9	8	3	1	5
9	4	3	5	1	6	7	8	2
6	3	4	8	7	5	9	2	1
8	1	7	2	6	9	5	4	3
2	9	5	3	4	1	8	7	6
5	6	2	9	8	7	1	3	4
4	8	1	6	5	3	2	9	7
3	7	9	1	2	4	6	5	8

Puzzle #260 (Medium, Difficulty Rating: 46.06)

5	8	6	3	4	9	2	7	1
3	7	1	8	6	2	4	9	5
4	2	9	7	1	5	6	3	8
6	3	2	9	8	4	5	1	7
7	5	8	6	3	1	9	2	4
1	9	4	2	5	7	3	8	6
2	1	7	4	9	6	8	5	3
9	4	3	5	7	8	1	6	2
8	6	5	1	2	3	7	4	9

Puzzle #261 (Medium, Difficulty Rating: 49.00)

4	3	2	7	8	6	1	5	9
8	5	6	3	1	9	2	7	4
9	1	7	4	2	5	8	3	6
6	9	8	2	7	3	5	4	1
5	4	1	6	9	8	3	2	7
7	2	3	1	5	4	6	9	8
3	7	5	8	4	1	9	6	2
1	6	4	9	3	2	7	8	5
2	8	9	5	6	7	4	1	3

Puzzle #262 (Medium, Difficulty Rating: 47.04)

3	4	1	5	8	2	7	6	9
5	8	6	9	7	1	4	2	3
2	7	9	4	3	6	8	1	5
7	2	3	1	9	5	6	8	4
1	6	8	3	2	4	5	9	7
4	9	5	8	6	7	1	3	2
8	1	2	7	5	9	3	4	6
9	3	7	6	4	8	2	5	1
6	5	4	2	1	3	9	7	8

Puzzle #263 (Medium, Difficulty Rating: 55.86)

5	4	9	2	8	6	1	3	7
1	7	8	3	5	4	6	2	9
2	6	3	1	9	7	5	4	8
8	9	7	5	4	1	3	6	2
4	3	2	6	7	8	9	1	5
6	1	5	9	2	3	8	7	4
9	2	1	4	6	5	7	8	3
7	5	6	8	3	2	4	9	1
3	8	4	7	1	9	2	5	6

Puzzle #264 (Medium, Difficulty Rating: 55.86)

1	8	2	7	6	9	3	4	5
9	6	7	3	5	4	2	1	8
5	4	3	1	2	8	7	9	6
4	1	8	2	7	6	5	3	9
7	9	5	4	8	3	6	2	1
2	3	6	9	1	5	4	8	7
6	2	4	5	9	1	8	7	3
8	7	9	6	3	2	1	5	4
3	5	1	8	4	7	9	6	2

Puzzle #265 (Medium, Difficulty Rating: 51.94)

9	6	8	5	7	3	2	1	4
3	2	4	8	1	9	6	7	5
7	5	1	4	2	6	3	8	9
8	4	7	1	5	2	9	3	6
2	1	3	9	6	4	7	5	8
6	9	5	3	8	7	4	2	1
1	7	9	2	4	8	5	6	3
4	8	6	7	3	5	1	9	2
5	3	2	6	9	1	8	4	7

Puzzle #266 (Medium, Difficulty Rating: 49.00)

9	4	5	2	1	7	6	8	3
7	3	2	8	6	9	1	4	5
8	1	6	4	5	3	9	2	7
4	5	1	9	3	6	8	7	2
6	8	9	7	2	4	5	3	1
2	7	3	1	8	5	4	6	9
5	6	8	3	9	2	7	1	4
1	2	7	5	4	8	3	9	6
3	9	4	6	7	1	2	5	8

Puzzle #267 (Medium, Difficulty Rating: 48.02)

7	4	9	3	2	6	5	1	8
3	6	1	8	4	5	9	2	7
2	5	8	9	7	1	3	6	4
6	3	2	4	1	9	8	7	5
5	1	4	6	8	7	2	9	3
9	8	7	2	5	3	6	4	1
1	9	3	5	6	4	7	8	2
8	7	5	1	9	2	4	3	6
4	2	6	7	3	8	1	5	9

Puzzle #268 (Medium, Difficulty Rating: 57.82)

3	5	1	6	7	2	8	4	9
9	6	4	5	8	1	7	3	2
2	7	8	4	9	3	5	1	6
1	8	6	3	2	9	4	7	5
7	2	5	8	6	4	3	9	1
4	3	9	1	5	7	6	2	8
8	1	7	9	3	6	2	5	4
5	9	2	7	4	8	1	6	3
6	4	3	2	1	5	9	8	7

Puzzle #269 (Medium, Difficulty Rating: 46.06)

8	5	3	9	1	6	4	2	7
7	9	1	2	4	3	5	6	8
2	6	4	5	8	7	9	3	1
5	1	8	4	6	9	3	7	2
9	7	2	8	3	1	6	5	4
4	3	6	7	5	2	8	1	9
3	2	7	6	9	4	1	8	5
1	8	9	3	2	5	7	4	6
6	4	5	1	7	8	2	9	3

Puzzle #270 (Medium, Difficulty Rating: 51.94)

5	1	4	2	7	9	8	3	6
8	6	9	4	3	5	2	7	1
7	2	3	6	1	8	5	9	4
9	3	5	1	8	4	6	2	7
6	4	8	7	2	3	1	5	9
1	7	2	9	5	6	4	8	3
3	5	7	8	6	1	9	4	2
2	9	1	5	4	7	3	6	8
4	8	6	3	9	2	7	1	5

Puzzle #271 (Medium, Difficulty Rating: 46.06)

2	9	3	5	4	8	1	6	7
4	6	8	1	7	3	2	9	5
1	5	7	2	9	6	4	3	8
7	1	9	4	3	2	5	8	6
6	2	5	9	8	1	7	4	3
8	3	4	6	5	7	9	2	1
9	8	1	3	2	5	6	7	4
5	7	2	8	6	4	3	1	9
3	4	6	7	1	9	8	5	2

Puzzle #272 (Medium, Difficulty Rating: 49.00)

1	5	7	8	2	3	9	6	4
4	8	3	7	6	9	2	1	5
6	2	9	5	1	4	7	3	8
5	3	1	9	4	2	6	8	7
2	7	4	3	8	6	5	9	1
8	9	6	1	7	5	3	4	2
9	4	8	2	3	7	1	5	6
3	6	2	4	5	1	8	7	9
7	1	5	6	9	8	4	2	3

Puzzle #273 (Medium, Difficulty Rating: 47.04)

1	8	4	9	3	6	7	5	2
2	3	7	5	4	1	9	8	6
5	6	9	7	2	8	4	1	3
6	2	1	3	9	5	8	7	4
7	5	8	2	6	4	1	3	9
9	4	3	8	1	7	2	6	5
3	1	2	6	7	9	5	4	8
8	7	6	4	5	2	3	9	1
4	9	5	1	8	3	6	2	7

Puzzle #274 (Medium, Difficulty Rating: 48.02)

5	6	8	7	9	4	3	2	1
1	2	7	6	5	3	9	8	4
4	9	3	1	2	8	6	7	5
6	3	1	4	8	7	2	5	9
2	5	4	9	1	6	8	3	7
7	8	9	5	3	2	4	1	6
8	7	6	3	4	5	1	9	2
9	4	2	8	7	1	5	6	3
3	1	5	2	6	9	7	4	8

Puzzle #275 (Medium, Difficulty Rating: 47.04)

1	5	2	9	6	3	7	4	8
8	6	7	4	1	5	9	3	2
9	3	4	7	8	2	1	5	6
4	7	6	2	9	1	5	8	3
3	1	5	8	4	6	2	9	7
2	8	9	3	5	7	6	1	4
7	4	8	1	2	9	3	6	5
5	2	1	6	3	4	8	7	9
6	9	3	5	7	8	4	2	1

Puzzle #276 (Medium, Difficulty Rating: 45.08)

2	1	5	9	3	6	4	8	7
4	6	3	5	8	7	9	2	1
7	9	8	4	1	2	5	6	3
1	7	6	8	2	9	3	5	4
3	8	9	7	5	4	6	1	2
5	2	4	3	6	1	8	7	9
8	4	1	6	7	3	2	9	5
6	3	7	2	9	5	1	4	8
9	5	2	1	4	8	7	3	6

Puzzle #277 (Medium, Difficulty Rating: 49.00)

5	4	7	8	6	2	9	1	3
3	6	2	1	7	9	8	4	5
9	8	1	3	5	4	2	7	6
6	2	5	9	4	1	3	8	7
7	1	3	2	8	6	4	5	9
4	9	8	7	3	5	6	2	1
2	7	9	4	1	3	5	6	8
8	5	4	6	9	7	1	3	2
1	3	6	5	2	8	7	9	4

Puzzle #278 (Medium, Difficulty Rating: 55.86)

4	7	1	2	8	3	9	6	5
3	2	6	4	5	9	8	7	1
5	8	9	6	1	7	2	4	3
6	1	5	8	3	2	4	9	7
7	3	2	9	6	4	5	1	8
8	9	4	5	7	1	3	2	6
9	6	3	7	2	5	1	8	4
1	4	8	3	9	6	7	5	2
2	5	7	1	4	8	6	3	9

Puzzle #279 (Medium, Difficulty Rating: 51.94)

9	8	1	3	2	5	7	6	4
7	4	5	6	8	9	3	2	1
6	2	3	4	1	7	5	9	8
3	1	4	7	5	6	9	8	2
8	5	6	1	9	2	4	3	7
2	9	7	8	3	4	1	5	6
4	3	2	5	7	8	6	1	9
5	7	9	2	6	1	8	4	3
1	6	8	9	4	3	2	7	5

Puzzle #280 (Medium, Difficulty Rating: 54.88)

9	4	2	5	1	3	6	8	7
6	8	1	2	7	9	5	3	4
3	5	7	6	8	4	9	2	1
4	7	6	8	3	5	1	9	2
2	9	3	7	6	1	4	5	8
5	1	8	9	4	2	7	6	3
1	2	9	4	5	8	3	7	6
7	3	5	1	2	6	8	4	9
8	6	4	3	9	7	2	1	5

Puzzle #281 (Medium, Difficulty Rating: 52.92)

2	4	8	6	1	9	7	5	3
1	3	6	5	8	7	2	9	4
5	7	9	4	2	3	6	1	8
7	8	2	1	9	4	3	6	5
4	1	5	3	7	6	8	2	9
6	9	3	2	5	8	4	7	1
9	6	7	8	3	5	1	4	2
3	2	4	9	6	1	5	8	7
8	5	1	7	4	2	9	3	6

Puzzle #282 (Medium, Difficulty Rating: 50.96)

6	1	3	2	7	4	5	9	8
5	9	4	3	6	8	2	7	1
2	7	8	9	1	5	6	4	3
4	8	5	7	2	6	3	1	9
1	3	7	4	5	9	8	6	2
9	2	6	8	3	1	7	5	4
3	4	9	6	8	7	1	2	5
8	6	1	5	9	2	4	3	7
7	5	2	1	4	3	9	8	6

Puzzle #283 (Medium, Difficulty Rating: 47.04)

1	3	7	4	8	6	9	2	5
8	9	5	2	1	3	6	4	7
4	2	6	7	5	9	1	3	8
9	6	1	8	2	7	4	5	3
7	5	2	6	3	4	8	1	9
3	4	8	1	9	5	2	7	6
5	1	3	9	4	8	7	6	2
6	8	4	3	7	2	5	9	1
2	7	9	5	6	1	3	8	4

Puzzle #284 (Medium, Difficulty Rating: 49.98)

3	8	1	4	9	6	5	2	7
7	4	9	2	1	5	8	3	6
2	6	5	8	7	3	9	1	4
5	3	7	1	6	8	4	9	2
1	9	4	3	5	2	6	7	8
8	2	6	7	4	9	1	5	3
9	7	3	6	8	1	2	4	5
4	1	8	5	2	7	3	6	9
6	5	2	9	3	4	7	8	1

Puzzle #285 (Medium, Difficulty Rating: 50.96)

2	9	3	5	4	8	1	6	7
4	6	8	1	7	3	2	9	5
1	5	7	2	9	6	4	3	8
7	1	9	4	3	2	5	8	6
6	2	5	9	8	1	7	4	3
8	3	4	6	5	7	9	2	1
9	8	1	3	2	5	6	7	4
5	7	2	8	6	4	3	1	9
3	4	6	7	1	9	8	5	2

Puzzle #286 (Medium, Difficulty Rating: 48.02)

8	5	9	4	1	6	7	3	2
4	2	1	3	8	7	6	5	9
3	7	6	2	5	9	4	8	1
6	3	5	9	2	8	1	7	4
2	4	8	6	7	1	3	9	5
9	1	7	5	4	3	8	2	6
1	8	4	7	9	2	5	6	3
7	9	3	1	6	5	2	4	8
5	6	2	8	3	4	9	1	7

Puzzle #287 (Medium, Difficulty Rating: 47.04)

9	8	6	4	3	7	5	2	1
5	3	2	1	6	9	8	7	4
7	1	4	2	5	8	3	9	6
2	5	1	8	7	6	4	3	9
6	9	3	5	1	4	2	8	7
4	7	8	9	2	3	1	6	5
3	4	5	6	9	2	7	1	8
8	2	9	7	4	1	6	5	3
1	6	7	3	8	5	9	4	2

Puzzle #288 (Medium, Difficulty Rating: 45.08)

1	6	4	7	9	5	8	2	3
2	3	7	1	8	4	6	9	5
9	5	8	2	3	6	4	7	1
3	4	5	6	1	7	2	8	9
7	8	9	3	5	2	1	4	6
6	1	2	9	4	8	5	3	7
4	7	6	5	2	3	9	1	8
5	2	1	8	7	9	3	6	4
8	9	3	4	6	1	7	5	2

Puzzle #289 (Medium, Difficulty Rating: 49.00)

9	7	2	6	8	1	4	3	5
4	6	8	2	5	3	7	1	9
1	3	5	4	9	7	6	2	8
2	4	3	9	7	5	1	8	6
6	1	9	8	3	4	2	5	7
8	5	7	1	6	2	3	9	4
3	9	4	5	2	6	8	7	1
7	8	1	3	4	9	5	6	2
5	2	6	7	1	8	9	4	3

Puzzle #290 (Medium, Difficulty Rating: 57.82)

5	3	8	9	2	7	1	4	6
2	4	9	6	1	3	8	5	7
6	1	7	8	4	5	9	2	3
3	8	1	5	9	6	4	7	2
9	7	5	4	3	2	6	8	1
4	6	2	7	8	1	3	9	5
1	9	3	2	7	4	5	6	8
7	5	4	1	6	8	2	3	9
8	2	6	3	5	9	7	1	4

Puzzle #291 (Medium, Difficulty Rating: 50.96)

9	1	5	2	7	6	3	4	8
8	4	6	9	5	3	1	7	2
2	3	7	1	8	4	9	5	6
4	9	1	3	2	7	8	6	5
5	6	2	8	1	9	7	3	4
3	7	8	4	6	5	2	1	9
6	8	4	7	9	1	5	2	3
7	5	9	6	3	2	4	8	1
1	2	3	5	4	8	6	9	7

Puzzle #292 (Medium, Difficulty Rating: 44.10)

5	1	4	2	7	9	8	3	6
8	6	9	4	3	5	2	7	1
7	2	3	6	1	8	5	9	4
9	3	5	1	8	4	6	2	7
6	4	8	7	2	3	1	5	9
1	7	2	9	5	6	4	8	3
3	5	7	8	6	1	9	4	2
2	9	1	5	4	7	3	6	8
4	8	6	3	9	2	7	1	5

Puzzle #293 (Medium, Difficulty Rating: 48.02)

9	4	6	2	7	5	1	3	8
2	1	5	3	8	6	7	9	4
3	7	8	9	1	4	2	5	6
1	5	3	8	2	9	4	6	7
4	9	2	6	5	7	3	8	1
8	6	7	4	3	1	9	2	5
6	2	1	7	9	8	5	4	3
7	8	9	5	4	3	6	1	2
5	3	4	1	6	2	8	7	9

Puzzle #294 (Medium, Difficulty Rating: 45.08)

8	6	9	4	7	3	1	2	5
4	3	7	2	5	1	9	8	6
5	2	1	9	8	6	4	3	7
7	1	8	6	9	5	2	4	3
6	4	3	7	1	2	8	5	9
9	5	2	3	4	8	6	7	1
1	9	5	8	2	7	3	6	4
2	7	6	1	3	4	5	9	8
3	8	4	5	6	9	7	1	2

Puzzle #295 (Medium, Difficulty Rating: 50.96)

1	6	4	7	9	5	8	2	3
2	3	7	1	8	4	6	9	5
9	5	8	2	3	6	4	7	1
3	4	5	6	1	7	2	8	9
7	8	9	3	5	2	1	4	6
6	1	2	9	4	8	5	3	7
4	7	6	5	2	3	9	1	8
5	2	1	8	7	9	3	6	4
8	9	3	4	6	1	7	5	2

Puzzle #296 (Medium, Difficulty Rating: 50.96)

9	7	4	3	2	6	5	1	8
6	8	2	9	5	1	4	7	3
1	5	3	7	8	4	6	9	2
5	6	9	2	4	8	1	3	7
2	4	8	1	3	7	9	5	6
3	1	7	6	9	5	2	8	4
7	9	5	8	6	2	3	4	1
4	2	1	5	7	3	8	6	9
8	3	6	4	1	9	7	2	5

Puzzle #297 (Medium, Difficulty Rating: 48.02)

4	9	3	1	5	7	6	2	8
6	5	8	4	2	3	7	1	9
1	2	7	6	9	8	5	3	4
2	3	6	7	8	4	1	9	5
8	1	4	9	3	5	2	7	6
9	7	5	2	1	6	8	4	3
7	4	1	5	6	9	3	8	2
5	8	2	3	4	1	9	6	7
3	6	9	8	7	2	4	5	1

Puzzle #298 (Medium, Difficulty Rating: 45.08)

3	9	7	4	5	6	1	2	8
2	5	6	9	8	1	3	4	7
1	8	4	3	7	2	5	9	6
5	6	1	7	9	4	2	8	3
9	7	3	1	2	8	6	5	4
8	4	2	6	3	5	9	7	1
4	3	5	8	6	9	7	1	2
7	2	8	5	1	3	4	6	9
6	1	9	2	4	7	8	3	5

Puzzle #299 (Medium, Difficulty Rating: 49.98)

9	7	6	3	8	4	5	1	2
5	2	3	1	6	9	8	4	7
1	4	8	7	2	5	9	3	6
4	5	7	2	9	8	3	6	1
3	9	1	5	7	6	4	2	8
6	8	2	4	1	3	7	5	9
2	1	4	8	5	7	6	9	3
8	3	9	6	4	1	2	7	5
7	6	5	9	3	2	1	8	4

Puzzle #300 (Medium, Difficulty Rating: 53.90)

5	9	8	6	1	3	4	7	2
3	6	7	8	2	4	1	9	5
2	4	1	9	5	7	6	3	8
4	7	5	1	3	6	8	2	9
8	3	6	4	9	2	7	5	1
1	2	9	5	7	8	3	6	4
9	8	4	7	6	5	2	1	3
7	1	2	3	4	9	5	8	6
6	5	3	2	8	1	9	4	7

Puzzle #301 (Medium, Difficulty Rating: 52.92)

6	5	7	3	2	1	9	4	8
2	3	8	4	9	6	1	7	5
9	1	4	7	8	5	2	6	3
7	9	1	5	4	3	8	2	6
4	2	3	6	1	8	5	9	7
8	6	5	9	7	2	3	1	4
1	7	2	8	5	4	6	3	9
5	4	6	1	3	9	7	8	2
3	8	9	2	6	7	4	5	1

Puzzle #302 (Medium, Difficulty Rating: 56.84)

8	3	5	4	9	7	2	6	1
7	6	9	8	2	1	5	4	3
2	1	4	6	3	5	7	9	8
5	2	8	9	1	6	3	7	4
1	9	7	2	4	3	8	5	6
6	4	3	7	5	8	1	2	9
9	8	6	3	7	2	4	1	5
4	5	2	1	8	9	6	3	7
3	7	1	5	6	4	9	8	2

Puzzle #303 (Medium, Difficulty Rating: 48.02)

3	2	6	5	1	9	4	8	7
4	8	7	6	2	3	9	5	1
9	5	1	7	4	8	2	6	3
8	7	9	3	5	1	6	4	2
6	1	3	2	8	4	5	7	9
5	4	2	9	6	7	1	3	8
1	3	8	4	9	6	7	2	5
7	6	5	1	3	2	8	9	4
2	9	4	8	7	5	3	1	6

Puzzle #304 (Medium, Difficulty Rating: 44.10)

7	1	5	2	6	4	8	9	3
4	6	8	7	3	9	5	1	2
3	9	2	5	1	8	7	4	6
9	3	1	8	2	5	4	6	7
5	4	7	1	9	6	3	2	8
2	8	6	3	4	7	1	5	9
8	2	4	9	5	3	6	7	1
6	7	9	4	8	1	2	3	5
1	5	3	6	7	2	9	8	4

Puzzle #305 (Medium, Difficulty Rating: 51.94)

5	8	4	3	7	6	1	2	9
1	6	7	2	8	9	4	5	3
2	9	3	5	1	4	6	7	8
8	3	2	6	4	7	9	1	5
9	4	1	8	5	2	3	6	7
7	5	6	1	9	3	8	4	2
3	2	9	4	6	5	7	8	1
6	7	8	9	2	1	5	3	4
4	1	5	7	3	8	2	9	6

Puzzle #306 (Medium, Difficulty Rating: 52.92)

5	4	2	7	3	9	1	8	6
9	6	1	5	4	8	7	2	3
3	8	7	2	1	6	5	4	9
4	3	9	6	8	7	2	5	1
1	5	6	4	9	2	3	7	8
2	7	8	3	5	1	9	6	4
6	1	5	9	7	4	8	3	2
7	9	4	8	2	3	6	1	5
8	2	3	1	6	5	4	9	7

Puzzle #307 (Medium, Difficulty Rating: 56.84)

6	2	8	7	3	5	4	1	9
3	5	9	1	8	4	2	6	7
1	4	7	9	6	2	3	5	8
9	7	5	2	4	6	8	3	1
4	8	1	3	5	9	7	2	6
2	6	3	8	7	1	9	4	5
8	1	4	5	9	3	6	7	2
7	3	2	6	1	8	5	9	4
5	9	6	4	2	7	1	8	3

Puzzle #308 (Medium, Difficulty Rating: 45.08)

6	9	5	1	4	2	8	3	7
2	3	4	8	7	9	1	5	6
8	1	7	3	5	6	9	4	2
4	2	3	5	9	7	6	1	8
7	8	6	4	3	1	5	2	9
1	5	9	6	2	8	3	7	4
5	6	8	7	1	4	2	9	3
9	4	1	2	6	3	7	8	5
3	7	2	9	8	5	4	6	1

Puzzle #309 (Medium, Difficulty Rating: 49.00)

5	2	8	1	3	4	7	6	9
6	7	4	9	5	2	8	3	1
1	9	3	8	7	6	4	5	2
2	1	6	3	9	8	5	7	4
9	3	5	4	1	7	6	2	8
8	4	7	6	2	5	9	1	3
7	5	9	2	4	1	3	8	6
4	6	2	7	8	3	1	9	5
3	8	1	5	6	9	2	4	7

Puzzle #310 (Medium, Difficulty Rating: 45.08)

5	8	3	6	1	2	9	7	4
6	9	7	4	8	3	1	5	2
2	4	1	9	5	7	8	3	6
7	6	5	2	4	9	3	8	1
1	2	9	3	6	8	7	4	5
8	3	4	5	7	1	6	2	9
3	5	2	8	9	6	4	1	7
9	1	8	7	2	4	5	6	3
4	7	6	1	3	5	2	9	8

Puzzle #311 (Medium, Difficulty Rating: 53.90)

1	8	4	9	2	3	7	6	5
3	6	7	4	5	8	2	9	1
2	9	5	1	6	7	3	4	8
6	4	3	8	1	2	9	5	7
5	7	1	3	9	6	4	8	2
9	2	8	5	7	4	6	1	3
4	1	6	2	3	5	8	7	9
8	3	9	7	4	1	5	2	6
7	5	2	6	8	9	1	3	4

Puzzle #312 (Medium, Difficulty Rating: 57.82)

2	1	8	6	5	4	7	3	9
3	5	7	9	8	1	6	4	2
9	6	4	3	2	7	5	8	1
5	9	2	4	3	6	1	7	8
4	3	1	8	7	2	9	6	5
8	7	6	5	1	9	4	2	3
7	4	3	2	9	5	8	1	6
1	8	9	7	6	3	2	5	4
6	2	5	1	4	8	3	9	7

Puzzle #313 (Medium, Difficulty Rating: 50.96)

4	6	7	3	1	8	2	5	9
2	5	8	4	9	6	3	7	1
3	1	9	7	2	5	4	6	8
1	7	4	8	3	9	6	2	5
9	2	5	6	4	7	8	1	3
6	8	3	2	5	1	9	4	7
7	9	6	5	8	4	1	3	2
5	3	1	9	6	2	7	8	4
8	4	2	1	7	3	5	9	6

Puzzle #314 (Medium, Difficulty Rating: 45.08)

3	6	7	8	4	5	9	1	2
9	8	5	6	1	2	7	3	4
1	4	2	3	7	9	6	8	5
2	7	8	1	6	4	3	5	9
4	1	3	9	5	8	2	7	6
6	5	9	2	3	7	1	4	8
7	9	1	5	8	6	4	2	3
8	2	4	7	9	3	5	6	1
5	3	6	4	2	1	8	9	7

Puzzle #315 (Medium, Difficulty Rating: 56.84)

5	4	8	7	9	1	6	3	2
3	7	6	5	2	8	9	1	4
9	2	1	6	3	4	8	5	7
4	1	9	8	5	3	2	7	6
6	8	5	4	7	2	3	9	1
2	3	7	1	6	9	5	4	8
8	5	3	2	1	7	4	6	9
1	6	4	9	8	5	7	2	3
7	9	2	3	4	6	1	8	5

Puzzle #316 (Medium, Difficulty Rating: 49.98)

3	9	5	7	2	6	4	8	1
7	8	6	5	4	1	9	3	2
2	4	1	3	9	8	6	5	7
6	3	9	2	1	4	8	7	5
1	7	4	8	6	5	3	2	9
5	2	8	9	7	3	1	4	6
9	6	7	4	3	2	5	1	8
8	1	3	6	5	7	2	9	4
4	5	2	1	8	9	7	6	3

Puzzle #317 (Medium, Difficulty Rating: 56.84)

3	4	5	1	8	2	7	6	9
7	9	8	5	6	4	3	1	2
6	1	2	9	3	7	8	4	5
8	3	1	4	9	5	2	7	6
4	7	6	8	2	3	5	9	1
2	5	9	6	7	1	4	3	8
5	2	3	7	1	9	6	8	4
9	8	4	3	5	6	1	2	7
1	6	7	2	4	8	9	5	3

Puzzle #318 (Medium, Difficulty Rating: 55.86)

2	6	3	8	5	9	7	1	4
5	1	4	3	7	2	9	6	8
7	9	8	6	4	1	5	3	2
4	7	5	1	8	6	3	2	9
3	2	6	4	9	7	8	5	1
9	8	1	2	3	5	4	7	6
8	5	2	7	6	4	1	9	3
1	4	7	9	2	3	6	8	5
6	3	9	5	1	8	2	4	7

Puzzle #319 (Medium, Difficulty Rating: 49.00)

8	5	4	3	2	1	6	7	9
6	7	3	5	4	9	8	2	1
1	2	9	8	6	7	3	5	4
4	3	1	6	7	8	5	9	2
7	6	5	9	3	2	1	4	8
9	8	2	1	5	4	7	6	3
2	4	8	7	1	6	9	3	5
3	9	7	4	8	5	2	1	6
5	1	6	2	9	3	4	8	7

Puzzle #320 (Medium, Difficulty Rating: 50.96)

8	4	5	1	3	2	7	6	9
3	1	6	9	7	5	4	2	8
9	2	7	6	4	8	1	3	5
5	8	9	3	1	6	2	4	7
4	6	3	2	9	7	8	5	1
1	7	2	5	8	4	6	9	3
6	3	1	7	2	9	5	8	4
7	5	4	8	6	3	9	1	2
2	9	8	4	5	1	3	7	6

Puzzle #321 (Medium, Difficulty Rating: 55.86)

5	1	4	2	7	8	6	9	3
2	3	7	6	9	1	4	8	5
9	8	6	5	4	3	2	1	7
4	6	3	8	1	9	5	7	2
1	2	9	7	6	5	8	3	4
8	7	5	4	3	2	9	6	1
6	4	8	1	2	7	3	5	9
3	5	1	9	8	4	7	2	6
7	9	2	3	5	6	1	4	8

Puzzle #322 (Medium, Difficulty Rating: 52.92)

4	6	1	2	3	5	8	9	7
9	3	2	8	1	7	5	6	4
5	7	8	4	9	6	3	1	2
8	9	5	6	2	3	7	4	1
6	2	3	7	4	1	9	8	5
1	4	7	9	5	8	6	2	3
7	5	9	1	8	4	2	3	6
3	8	4	5	6	2	1	7	9
2	1	6	3	7	9	4	5	8

Puzzle #323 (Medium, Difficulty Rating: 45.08)

2	1	5	9	3	6	4	8	7
4	6	3	5	8	7	9	2	1
7	9	8	4	1	2	5	6	3
1	7	6	8	2	9	3	5	4
3	8	9	7	5	4	6	1	2
5	2	4	3	6	1	8	7	9
8	4	1	6	7	3	2	9	5
6	3	7	2	9	5	1	4	8
9	5	2	1	4	8	7	3	6

Puzzle #324 (Medium, Difficulty Rating: 57.82)

6	7	1	3	8	4	2	9	5
9	5	4	6	2	1	7	3	8
8	2	3	9	5	7	1	6	4
7	4	6	5	3	2	9	8	1
2	9	5	1	4	8	6	7	3
3	1	8	7	9	6	5	4	2
1	3	9	8	6	5	4	2	7
4	8	7	2	1	9	3	5	6
5	6	2	4	7	3	8	1	9

Puzzle #325 (Medium, Difficulty Rating: 47.04)

6	2	9	7	5	8	4	3	1
5	1	8	9	3	4	7	2	6
7	3	4	6	2	1	5	9	8
2	7	5	8	9	3	6	1	4
1	9	6	5	4	2	8	7	3
4	8	3	1	6	7	9	5	2
8	6	7	3	1	5	2	4	9
9	4	1	2	7	6	3	8	5
3	5	2	4	8	9	1	6	7

Puzzle #326 (Medium, Difficulty Rating: 49.00)

4	2	3	9	1	6	5	8	7
5	6	1	3	8	7	2	9	4
7	8	9	5	4	2	6	1	3
6	1	4	7	2	9	8	3	5
8	3	7	4	5	1	9	2	6
9	5	2	8	6	3	7	4	1
2	9	6	1	3	5	4	7	8
1	4	5	2	7	8	3	6	9
3	7	8	6	9	4	1	5	2

Puzzle #327 (Medium, Difficulty Rating: 49.00)

8	4	2	7	6	5	3	1	9
3	9	5	4	1	2	7	8	6
6	1	7	9	3	8	2	4	5
7	8	1	5	9	6	4	2	3
9	6	3	2	7	4	8	5	1
5	2	4	3	8	1	6	9	7
1	3	9	8	4	7	5	6	2
4	5	6	1	2	3	9	7	8
2	7	8	6	5	9	1	3	4

Puzzle #328 (Medium, Difficulty Rating: 52.92)

8	1	3	5	4	9	7	2	6
2	7	4	3	8	6	5	1	9
9	5	6	1	2	7	8	3	4
7	2	8	6	3	1	9	4	5
4	3	5	7	9	8	1	6	2
6	9	1	2	5	4	3	8	7
5	6	9	8	1	2	4	7	3
1	4	2	9	7	3	6	5	8
3	8	7	4	6	5	2	9	1

Puzzle #329 (Medium, Difficulty Rating: 51.94)

4	7	9	2	6	8	1	5	3
3	2	6	5	1	4	7	9	8
8	1	5	7	9	3	6	2	4
7	6	2	8	3	1	5	4	9
1	9	8	4	2	5	3	6	7
5	3	4	6	7	9	8	1	2
2	8	1	3	4	6	9	7	5
6	4	3	9	5	7	2	8	1
9	5	7	1	8	2	4	3	6

Puzzle #330 (Medium, Difficulty Rating: 49.98)

1	5	4	7	9	8	6	2	3
9	7	3	4	6	2	8	1	5
6	2	8	5	3	1	4	9	7
3	4	6	9	1	5	2	7	8
5	8	7	2	4	6	1	3	9
2	1	9	8	7	3	5	6	4
8	9	2	1	5	7	3	4	6
4	3	5	6	2	9	7	8	1
7	6	1	3	8	4	9	5	2

Puzzle #331 (Medium, Difficulty Rating: 47.04)

3	8	9	5	6	2	4	1	7
1	6	2	4	3	7	8	9	5
5	7	4	1	8	9	3	6	2
8	5	7	3	4	6	9	2	1
9	3	1	2	7	5	6	8	4
2	4	6	8	9	1	7	5	3
6	9	5	7	1	4	2	3	8
4	1	3	9	2	8	5	7	6
7	2	8	6	5	3	1	4	9

Puzzle #332 (Medium, Difficulty Rating: 56.84)

2	4	9	6	3	1	5	8	7
6	7	1	4	8	5	2	3	9
3	5	8	7	2	9	4	6	1
9	2	6	8	5	7	1	4	3
8	3	7	1	6	4	9	2	5
4	1	5	3	9	2	6	7	8
5	9	3	2	4	8	7	1	6
1	8	4	5	7	6	3	9	2
7	6	2	9	1	3	8	5	4

Puzzle #333 (Medium, Difficulty Rating: 48.02)

3	4	9	5	8	2	7	1	6
6	8	7	3	4	1	2	9	5
5	2	1	9	7	6	4	3	8
2	5	3	8	6	9	1	7	4
1	9	4	7	5	3	8	6	2
7	6	8	1	2	4	3	5	9
4	7	5	6	3	8	9	2	1
8	1	6	2	9	7	5	4	3
9	3	2	4	1	5	6	8	7

Puzzle #334 (Medium, Difficulty Rating: 53.90)

2	9	4	6	7	3	8	5	1
6	1	7	8	2	5	3	4	9
5	8	3	1	9	4	7	2	6
1	2	6	5	8	9	4	7	3
9	3	8	2	4	7	6	1	5
7	4	5	3	1	6	2	9	8
4	7	1	9	6	8	5	3	2
3	6	9	4	5	2	1	8	7
8	5	2	7	3	1	9	6	4

Puzzle #335 (Medium, Difficulty Rating: 55.86)

5	8	9	2	1	3	4	7	6
4	6	7	8	9	5	1	3	2
1	2	3	7	6	4	5	8	9
2	7	5	9	3	8	6	1	4
3	9	1	6	4	7	2	5	8
6	4	8	5	2	1	3	9	7
9	5	4	1	7	6	8	2	3
8	3	2	4	5	9	7	6	1
7	1	6	3	8	2	9	4	5

Puzzle #336 (Medium, Difficulty Rating: 52.92)

2	7	4	8	3	5	1	6	9
3	1	5	7	6	9	2	4	8
9	6	8	2	1	4	7	3	5
1	2	3	4	5	6	8	9	7
5	8	9	3	7	2	6	1	4
7	4	6	9	8	1	5	2	3
8	5	2	6	4	3	9	7	1
6	3	7	1	9	8	4	5	2
4	9	1	5	2	7	3	8	6

Puzzle #337 (Medium, Difficulty Rating: 47.04)

6	5	2	8	1	7	3	4	9
9	4	8	6	3	2	1	5	7
1	7	3	4	9	5	8	2	6
3	2	5	1	6	9	7	8	4
7	8	1	2	5	4	6	9	3
4	6	9	7	8	3	2	1	5
8	1	7	5	4	6	9	3	2
2	9	4	3	7	1	5	6	8
5	3	6	9	2	8	4	7	1

Puzzle #338 (Medium, Difficulty Rating: 45.08)

5	1	9	8	4	6	2	3	7
8	7	4	2	5	3	9	6	1
2	3	6	7	9	1	8	4	5
3	6	7	5	2	8	1	9	4
1	5	8	4	3	9	6	7	2
9	4	2	6	1	7	3	5	8
4	9	3	1	8	5	7	2	6
7	8	5	9	6	2	4	1	3
6	2	1	3	7	4	5	8	9

Puzzle #339 (Medium, Difficulty Rating: 50.96)

1	9	5	4	6	7	2	3	8
4	2	8	3	5	1	7	9	6
6	3	7	9	2	8	1	4	5
7	1	6	8	9	4	5	2	3
9	4	3	5	1	2	6	8	7
8	5	2	7	3	6	9	1	4
2	7	4	1	8	5	3	6	9
5	6	9	2	4	3	8	7	1
3	8	1	6	7	9	4	5	2

Puzzle #340 (Medium, Difficulty Rating: 49.00)

8	4	1	2	3	9	6	7	5
9	6	2	5	8	7	3	4	1
7	5	3	1	6	4	2	9	8
1	7	6	4	9	2	5	8	3
4	2	9	3	5	8	7	1	6
3	8	5	7	1	6	4	2	9
2	9	8	6	4	5	1	3	7
5	1	7	8	2	3	9	6	4
6	3	4	9	7	1	8	5	2

Puzzle #341 (Medium, Difficulty Rating: 47.04)

4	5	8	3	6	7	9	1	2
1	9	2	5	4	8	3	7	6
7	6	3	1	2	9	5	8	4
2	8	4	9	3	6	7	5	1
9	1	7	4	8	5	2	6	3
6	3	5	2	7	1	4	9	8
5	4	6	8	9	2	1	3	7
8	2	1	7	5	3	6	4	9
3	7	9	6	1	4	8	2	5

Puzzle #342 (Medium, Difficulty Rating: 49.00)

6	5	8	3	4	1	9	7	2
3	4	2	9	7	6	8	1	5
1	9	7	8	5	2	3	6	4
9	8	6	2	3	5	7	4	1
2	3	1	7	9	4	5	8	6
5	7	4	1	6	8	2	3	9
7	2	5	6	1	3	4	9	8
8	6	3	4	2	9	1	5	7
4	1	9	5	8	7	6	2	3

Puzzle #343 (Medium, Difficulty Rating: 54.88)

1	3	4	5	2	6	7	9	8
7	2	5	4	8	9	6	1	3
6	9	8	3	7	1	4	2	5
4	7	3	2	5	8	1	6	9
5	1	9	6	3	4	8	7	2
8	6	2	9	1	7	5	3	4
3	8	7	1	9	5	2	4	6
9	4	1	8	6	2	3	5	7
2	5	6	7	4	3	9	8	1

Puzzle #344 (Medium, Difficulty Rating: 52.92)

6	7	3	9	2	1	4	8	5
1	8	9	5	7	4	3	6	2
2	5	4	3	8	6	9	1	7
4	1	5	2	9	8	6	7	3
9	2	7	6	3	5	8	4	1
3	6	8	1	4	7	2	5	9
8	9	6	7	5	2	1	3	4
5	3	1	4	6	9	7	2	8
7	4	2	8	1	3	5	9	6

Puzzle #345 (Medium, Difficulty Rating: 49.98)

3	7	5	9	4	1	2	6	8
1	2	6	8	5	3	7	4	9
9	4	8	2	7	6	5	3	1
4	5	2	6	8	9	1	7	3
6	8	1	5	3	7	4	9	2
7	9	3	4	1	2	6	8	5
5	3	9	7	2	4	8	1	6
2	1	7	3	6	8	9	5	4
8	6	4	1	9	5	3	2	7

Puzzle #346 (Medium, Difficulty Rating: 46.06)

7	2	5	9	3	4	1	6	8
9	8	6	2	1	7	5	3	4
3	4	1	8	6	5	9	2	7
5	9	4	1	8	6	2	7	3
2	6	3	7	5	9	8	4	1
1	7	8	4	2	3	6	9	5
6	3	9	5	7	1	4	8	2
8	1	7	6	4	2	3	5	9
4	5	2	3	9	8	7	1	6

Puzzle #347 (Medium, Difficulty Rating: 51.94)

9	6	8	5	7	3	2	1	4
3	2	4	8	1	9	6	7	5
7	5	1	4	2	6	3	8	9
8	4	7	1	5	2	9	3	6
2	1	3	9	6	4	7	5	8
6	9	5	3	8	7	4	2	1
1	7	9	2	4	8	5	6	3
4	8	6	7	3	5	1	9	2
5	3	2	6	9	1	8	4	7

Puzzle #348 (Medium, Difficulty Rating: 55.86)

5	6	8	7	9	4	3	2	1
1	2	7	6	5	3	9	8	4
4	9	3	1	2	8	6	7	5
6	3	1	4	8	7	2	5	9
2	5	4	9	1	6	8	3	7
7	8	9	5	3	2	4	1	6
8	7	6	3	4	5	1	9	2
9	4	2	8	7	1	5	6	3
3	1	5	2	6	9	7	4	8

Puzzle #349 (Medium, Difficulty Rating: 57.82)

3	5	8	2	1	9	4	6	7
2	7	1	8	6	4	9	5	3
4	6	9	3	7	5	1	8	2
9	8	7	6	2	1	3	4	5
5	3	2	9	4	7	6	1	8
1	4	6	5	3	8	2	7	9
6	9	5	1	8	2	7	3	4
8	1	4	7	9	3	5	2	6
7	2	3	4	5	6	8	9	1

Puzzle #350 (Medium, Difficulty Rating: 49.00)

9	3	1	6	4	8	2	7	5
7	2	5	3	1	9	6	8	4
8	6	4	7	5	2	3	1	9
4	9	6	1	2	7	8	5	3
3	1	7	5	8	4	9	6	2
2	5	8	9	6	3	1	4	7
1	7	3	4	9	6	5	2	8
6	4	2	8	3	5	7	9	1
5	8	9	2	7	1	4	3	6

Puzzle #351 (Medium, Difficulty Rating: 56.84)

1	4	8	6	2	9	5	7	3
2	7	6	3	8	5	1	9	4
3	9	5	1	4	7	8	6	2
6	8	3	2	5	4	9	1	7
7	1	4	9	3	8	6	2	5
9	5	2	7	1	6	3	4	8
4	2	1	8	9	3	7	5	6
8	6	9	5	7	2	4	3	1
5	3	7	4	6	1	2	8	9

Puzzle #352 (Medium, Difficulty Rating: 45.08)

2	5	1	4	8	6	9	3	7
8	3	4	9	2	7	5	6	1
6	7	9	3	1	5	8	4	2
7	2	5	8	3	1	6	9	4
4	1	8	6	7	9	3	2	5
3	9	6	2	5	4	1	7	8
9	6	2	1	4	8	7	5	3
5	8	3	7	6	2	4	1	9
1	4	7	5	9	3	2	8	6

Puzzle #353 (Medium, Difficulty Rating: 54.88)

7	4	2	9	6	1	8	5	3
6	5	8	7	2	3	4	9	1
9	1	3	4	5	8	6	2	7
3	2	6	5	1	4	7	8	9
5	8	9	2	3	7	1	4	6
1	7	4	6	8	9	2	3	5
2	3	7	8	9	6	5	1	4
8	6	1	3	4	5	9	7	2
4	9	5	1	7	2	3	6	8

Puzzle #354 (Medium, Difficulty Rating: 52.92)

7	5	2	6	3	1	9	4	8
9	8	4	7	2	5	1	3	6
1	6	3	4	8	9	5	2	7
3	9	5	2	6	7	8	1	4
6	4	1	8	9	3	2	7	5
8	2	7	1	5	4	3	6	9
4	3	8	9	7	2	6	5	1
2	7	9	5	1	6	4	8	3
5	1	6	3	4	8	7	9	2

Puzzle #355 (Medium, Difficulty Rating: 54.88)

7	5	4	3	6	1	9	2	8
8	3	2	9	5	4	7	1	6
9	6	1	8	2	7	4	5	3
1	4	8	2	7	9	3	6	5
6	9	3	5	4	8	1	7	2
5	2	7	1	3	6	8	9	4
4	1	9	6	8	5	2	3	7
3	8	6	7	9	2	5	4	1
2	7	5	4	1	3	6	8	9

Puzzle #356 (Medium, Difficulty Rating: 52.92)

1	6	7	5	8	4	3	2	9
9	8	5	6	2	3	7	1	4
4	3	2	1	7	9	8	5	6
8	1	4	9	3	5	2	6	7
7	2	3	8	6	1	4	9	5
5	9	6	7	4	2	1	3	8
6	4	9	2	1	8	5	7	3
3	7	1	4	5	6	9	8	2
2	5	8	3	9	7	6	4	1

Puzzle #357 (Medium, Difficulty Rating: 55.86)

1	3	9	6	8	5	4	2	7
5	7	4	9	3	2	8	6	1
2	8	6	1	7	4	5	9	3
9	6	7	8	1	3	2	5	4
4	2	3	5	9	6	7	1	8
8	5	1	4	2	7	9	3	6
7	1	5	2	6	8	3	4	9
6	4	8	3	5	9	1	7	2
3	9	2	7	4	1	6	8	5

Puzzle #358 (Medium, Difficulty Rating: 58.80)

9	5	3	6	8	7	4	2	1
4	8	1	9	2	3	7	5	6
2	6	7	4	1	5	8	9	3
7	9	4	2	6	1	5	3	8
6	3	2	8	5	9	1	7	4
5	1	8	7	3	4	2	6	9
1	2	6	5	9	8	3	4	7
8	7	9	3	4	2	6	1	5
3	4	5	1	7	6	9	8	2

Puzzle #359 (Medium, Difficulty Rating: 45.08)

2	1	4	6	5	8	3	9	7
3	9	8	7	2	1	6	4	5
5	6	7	3	4	9	1	2	8
1	3	5	8	7	4	9	6	2
8	7	2	9	6	3	4	5	1
9	4	6	5	1	2	7	8	3
7	2	1	4	8	6	5	3	9
6	8	3	1	9	5	2	7	4
4	5	9	2	3	7	8	1	6

Puzzle #360 (Medium, Difficulty Rating: 44.10)

4	2	8	7	9	5	3	1	6
9	7	6	1	3	2	5	4	8
3	1	5	8	6	4	9	7	2
1	8	4	2	7	3	6	5	9
2	3	9	5	4	6	1	8	7
6	5	7	9	1	8	2	3	4
7	9	2	3	8	1	4	6	5
5	6	1	4	2	7	8	9	3
8	4	3	6	5	9	7	2	1

Puzzle #361 (Medium, Difficulty Rating: 45.08)

7	3	4	5	2	8	9	6	1
2	1	9	4	6	3	8	7	5
5	8	6	9	1	7	3	4	2
4	2	7	3	9	6	1	5	8
6	5	1	2	8	4	7	9	3
8	9	3	7	5	1	4	2	6
1	4	2	8	7	5	6	3	9
9	7	8	6	3	2	5	1	4
3	6	5	1	4	9	2	8	7

Puzzle #362 (Medium, Difficulty Rating: 48.02)

6	1	9	7	5	8	3	2	4
7	2	4	3	6	1	9	5	8
5	3	8	4	2	9	7	1	6
2	6	5	9	4	3	8	7	1
3	4	1	2	8	7	6	9	5
8	9	7	6	1	5	4	3	2
1	8	3	5	9	6	2	4	7
9	5	2	8	7	4	1	6	3
4	7	6	1	3	2	5	8	9

Puzzle #363 (Medium, Difficulty Rating: 48.02)

5	2	1	6	9	8	3	7	4
9	4	3	5	1	7	6	2	8
6	7	8	3	4	2	1	5	9
8	6	4	7	5	3	9	1	2
2	9	5	8	6	1	4	3	7
1	3	7	4	2	9	5	8	6
7	8	9	1	3	6	2	4	5
4	1	2	9	8	5	7	6	3
3	5	6	2	7	4	8	9	1

Puzzle #364 (Medium, Difficulty Rating: 47.04)

4	9	3	2	7	8	5	6	1
6	8	2	1	5	9	4	3	7
1	5	7	6	3	4	8	9	2
8	4	5	7	9	1	6	2	3
3	6	1	5	4	2	7	8	9
7	2	9	3	8	6	1	5	4
9	1	8	4	2	5	3	7	6
2	3	6	8	1	7	9	4	5
5	7	4	9	6	3	2	1	8

Puzzle #365 (Medium, Difficulty Rating: 55.86)

5	7	3	8	6	2	1	4	9
1	2	9	5	7	4	8	6	3
4	6	8	1	9	3	7	5	2
9	1	4	7	3	6	5	2	8
6	5	2	4	8	9	3	1	7
3	8	7	2	5	1	4	9	6
2	3	5	9	4	7	6	8	1
7	4	1	6	2	8	9	3	5
8	9	6	3	1	5	2	7	4

Puzzle #366 (Medium, Difficulty Rating: 49.00)

9	8	4	2	3	5	7	6	1
6	2	5	1	4	7	9	3	8
3	7	1	9	6	8	4	2	5
1	3	9	6	7	2	8	5	4
5	6	7	4	8	9	2	1	3
2	4	8	5	1	3	6	7	9
7	9	6	8	5	1	3	4	2
8	1	3	7	2	4	5	9	6
4	5	2	3	9	6	1	8	7

Puzzle #367 (Medium, Difficulty Rating: 57.82)

3	8	9	5	6	2	4	1	7
1	6	2	4	3	7	8	9	5
5	7	4	1	8	9	3	6	2
8	5	7	3	4	6	9	2	1
9	3	1	2	7	5	6	8	4
2	4	6	8	9	1	7	5	3
6	9	5	7	1	4	2	3	8
4	1	3	9	2	8	5	7	6
7	2	8	6	5	3	1	4	9

Puzzle #368 (Medium, Difficulty Rating: 50.96)

6	7	9	5	8	1	4	3	2
8	5	3	2	4	7	1	9	6
4	1	2	6	3	9	8	5	7
9	3	8	7	5	4	2	6	1
5	2	7	8	1	6	9	4	3
1	6	4	9	2	3	7	8	5
3	4	5	1	7	8	6	2	9
7	8	6	3	9	2	5	1	4
2	9	1	4	6	5	3	7	8

Puzzle #369 (Medium, Difficulty Rating: 56.84)

4	9	8	6	7	3	1	5	2
1	3	5	4	9	2	8	7	6
7	6	2	5	8	1	9	3	4
6	4	3	1	5	9	2	8	7
9	8	7	2	4	6	3	1	5
5	2	1	8	3	7	6	4	9
3	7	4	9	2	8	5	6	1
8	1	9	7	6	5	4	2	3
2	5	6	3	1	4	7	9	8

Puzzle #370 (Medium, Difficulty Rating: 50.96)

5	1	8	2	7	9	4	3	6
4	7	2	6	3	5	9	8	1
3	6	9	8	4	1	7	2	5
6	9	4	7	1	2	3	5	8
2	8	5	3	6	4	1	7	9
7	3	1	9	5	8	2	6	4
8	2	6	1	9	3	5	4	7
1	4	3	5	8	7	6	9	2
9	5	7	4	2	6	8	1	3

Puzzle #371 (Medium, Difficulty Rating: 48.02)

1	5	3	9	6	7	4	2	8
8	7	9	4	2	1	5	3	6
6	2	4	5	8	3	9	7	1
5	3	7	6	9	8	2	1	4
2	4	8	1	3	5	6	9	7
9	1	6	7	4	2	3	8	5
4	6	2	8	7	9	1	5	3
3	8	5	2	1	4	7	6	9
7	9	1	3	5	6	8	4	2

Puzzle #372 (Medium, Difficulty Rating: 53.90)

1	9	2	6	8	5	3	4	7
8	5	3	7	9	4	2	1	6
7	6	4	3	2	1	9	5	8
9	4	1	5	7	3	8	6	2
6	3	7	2	4	8	1	9	5
2	8	5	1	6	9	4	7	3
4	2	8	9	5	7	6	3	1
3	7	6	4	1	2	5	8	9
5	1	9	8	3	6	7	2	4

Puzzle #373 (Medium, Difficulty Rating: 49.98)

3	1	2	9	6	7	8	5	4
4	9	6	5	8	3	1	7	2
8	7	5	1	2	4	9	3	6
6	8	9	2	1	5	3	4	7
7	2	4	3	9	6	5	8	1
1	5	3	4	7	8	2	6	9
2	4	7	8	3	9	6	1	5
9	6	8	7	5	1	4	2	3
5	3	1	6	4	2	7	9	8

Puzzle #374 (Medium, Difficulty Rating: 46.06)

6	1	3	7	9	8	4	2	5
7	5	9	1	4	2	8	3	6
8	4	2	3	6	5	7	1	9
9	8	6	4	5	3	1	7	2
3	7	1	9	2	6	5	8	4
4	2	5	8	7	1	9	6	3
1	9	8	6	3	4	2	5	7
5	6	7	2	1	9	3	4	8
2	3	4	5	8	7	6	9	1

Puzzle #375 (Medium, Difficulty Rating: 58.80)

2	8	9	6	1	5	4	7	3
3	1	6	7	2	4	5	9	8
4	5	7	8	3	9	6	1	2
9	4	5	2	8	1	3	6	7
1	6	2	3	4	7	8	5	9
7	3	8	9	5	6	2	4	1
6	9	3	4	7	2	1	8	5
5	2	4	1	9	8	7	3	6
8	7	1	5	6	3	9	2	4

Puzzle #376 (Medium, Difficulty Rating: 49.98)

4	9	6	3	8	1	5	7	2
7	3	8	2	9	5	6	1	4
2	1	5	6	7	4	8	3	9
6	7	1	4	2	8	3	9	5
8	4	9	7	5	3	1	2	6
3	5	2	1	6	9	7	4	8
1	2	3	8	4	6	9	5	7
9	6	4	5	1	7	2	8	3
5	8	7	9	3	2	4	6	1

Puzzle #377 (Medium, Difficulty Rating: 49.98)

6	7	2	8	5	3	4	9	1
1	9	3	6	4	2	7	8	5
8	5	4	7	1	9	3	2	6
5	2	9	3	8	4	6	1	7
3	4	6	2	7	1	9	5	8
7	8	1	9	6	5	2	3	4
9	6	8	1	3	7	5	4	2
4	3	7	5	2	8	1	6	9
2	1	5	4	9	6	8	7	3

Puzzle #378 (Medium, Difficulty Rating: 54.88)

9	5	7	2	4	3	1	6	8
3	2	4	6	8	1	5	7	9
8	1	6	7	5	9	2	4	3
1	6	5	3	2	8	7	9	4
7	9	3	1	6	4	8	2	5
2	4	8	9	7	5	3	1	6
6	3	1	8	9	2	4	5	7
5	8	9	4	1	7	6	3	2
4	7	2	5	3	6	9	8	1

Puzzle #379 (Medium, Difficulty Rating: 46.06)

9	8	1	7	5	4	2	3	6
7	5	6	3	9	2	8	4	1
2	4	3	8	1	6	9	7	5
3	2	8	4	6	1	5	9	7
5	6	7	2	8	9	3	1	4
4	1	9	5	7	3	6	8	2
6	9	4	1	3	5	7	2	8
8	3	2	6	4	7	1	5	9
1	7	5	9	2	8	4	6	3

Puzzle #380 (Medium, Difficulty Rating: 48.02)

5	4	1	3	2	7	9	8	6
9	6	8	5	4	1	7	2	3
7	2	3	6	9	8	4	5	1
6	1	7	9	3	5	8	4	2
4	8	2	7	1	6	5	3	9
3	5	9	4	8	2	6	1	7
1	3	4	8	7	9	2	6	5
8	7	6	2	5	3	1	9	4
2	9	5	1	6	4	3	7	8

Puzzle #381 (Medium, Difficulty Rating: 47.04)

8	4	2	6	5	9	3	1	7
1	3	6	8	4	7	9	2	5
5	9	7	2	3	1	4	8	6
2	7	3	4	9	6	8	5	1
6	5	8	3	1	2	7	4	9
4	1	9	5	7	8	6	3	2
3	6	1	9	2	4	5	7	8
9	2	4	7	8	5	1	6	3
7	8	5	1	6	3	2	9	4

Puzzle #382 (Medium, Difficulty Rating: 46.06)

9	1	5	6	2	8	3	4	7
2	7	8	9	4	3	5	1	6
6	4	3	5	7	1	2	9	8
7	3	9	8	6	2	4	5	1
8	5	2	4	1	7	9	6	3
4	6	1	3	9	5	8	7	2
1	8	7	2	5	9	6	3	4
5	2	6	1	3	4	7	8	9
3	9	4	7	8	6	1	2	5

Puzzle #383 (Medium, Difficulty Rating: 47.04)

2	3	4	7	5	6	9	1	8
1	5	9	4	2	8	6	3	7
7	6	8	1	3	9	4	5	2
8	4	2	9	6	3	1	7	5
3	1	6	5	8	7	2	4	9
9	7	5	2	4	1	3	8	6
4	9	3	8	7	2	5	6	1
5	2	7	6	1	4	8	9	3
6	8	1	3	9	5	7	2	4

Puzzle #384 (Medium, Difficulty Rating: 54.88)

9	5	6	3	8	1	7	4	2
3	7	4	6	2	9	8	1	5
1	8	2	5	7	4	3	6	9
4	1	5	2	3	8	6	9	7
8	2	9	1	6	7	4	5	3
6	3	7	9	4	5	1	2	8
5	9	8	4	1	3	2	7	6
2	4	3	7	5	6	9	8	1
7	6	1	8	9	2	5	3	4

Puzzle #385

3	5	8	7	9	4	2	6	1
1	7	6	2	8	5	9	4	3
4	2	9	6	3	1	8	7	5
7	3	2	8	1	6	5	9	4
9	1	5	3	4	7	6	8	2
8	6	4	5	2	9	3	1	7
5	9	7	1	6	3	4	2	8
6	8	3	4	7	2	1	5	9
2	4	1	9	5	8	7	3	6

Puzzle #386

5	9	6	4	2	8	1	3	7
4	7	2	9	1	3	5	8	6
8	1	3	5	7	6	4	9	2
2	8	9	3	6	4	7	5	1
6	3	7	1	5	2	8	4	9
1	4	5	8	9	7	2	6	3
7	5	8	2	3	9	6	1	4
3	2	1	6	4	5	9	7	8
9	6	4	7	8	1	3	2	5

Puzzle #387

7	6	1	2	5	3	9	8	4
2	8	3	4	7	9	6	1	5
4	5	9	6	8	1	7	3	2
8	2	4	9	1	7	3	5	6
5	9	7	8	3	6	2	4	1
1	3	6	5	4	2	8	7	9
6	1	5	3	2	8	4	9	7
3	7	2	1	9	4	5	6	8
9	4	8	7	6	5	1	2	3

Puzzle #388

2	5	3	9	4	8	7	6	1
7	1	9	6	2	3	5	8	4
6	4	8	7	1	5	3	2	9
9	2	6	4	7	1	8	5	3
4	3	7	8	5	9	6	1	2
5	8	1	3	6	2	4	9	7
3	6	5	1	9	4	2	7	8
8	9	2	5	3	7	1	4	6
1	7	4	2	8	6	9	3	5

Puzzle #389

2	6	1	9	4	8	3	5	7
7	9	8	5	1	3	6	4	2
4	5	3	7	2	6	1	8	9
6	3	5	8	7	2	4	9	1
8	1	4	3	9	5	2	7	6
9	7	2	1	6	4	8	3	5
3	8	9	2	5	1	7	6	4
5	2	6	4	3	7	9	1	8
1	4	7	6	8	9	5	2	3

Puzzle #390

9	7	3	6	8	1	5	2	4
2	4	1	3	5	9	7	8	6
5	6	8	7	4	2	1	3	9
7	3	5	4	2	6	8	9	1
6	8	2	9	1	3	4	5	7
1	9	4	5	7	8	3	6	2
8	5	6	1	9	4	2	7	3
4	2	9	8	3	7	6	1	5
3	1	7	2	6	5	9	4	8

Puzzle #391

5	7	4	8	2	9	1	3	6
6	2	8	1	3	5	7	4	9
1	3	9	4	6	7	2	5	8
3	1	5	6	7	4	8	9	2
8	9	2	5	1	3	6	7	4
7	4	6	2	9	8	3	1	5
4	8	3	7	5	6	9	2	1
9	6	1	3	4	2	5	8	7
2	5	7	9	8	1	4	6	3

Puzzle #392

9	6	2	5	4	7	8	1	3
8	7	1	3	9	2	5	6	4
5	3	4	6	1	8	7	2	9
7	5	9	2	6	4	3	8	1
3	4	6	8	5	1	9	7	2
1	2	8	7	3	9	4	5	6
6	8	7	4	2	3	1	9	5
4	1	5	9	8	6	2	3	7
2	9	3	1	7	5	6	4	8

Puzzle #393

2	9	1	8	3	4	5	6	7
7	4	5	2	6	1	8	9	3
8	3	6	5	7	9	2	1	4
4	6	2	9	1	5	3	7	8
3	7	8	6	4	2	1	5	9
1	5	9	7	8	3	6	4	2
6	2	4	3	5	7	9	8	1
5	1	3	4	9	8	7	2	6
9	8	7	1	2	6	4	3	5

Puzzle #394

7	8	3	1	5	9	6	4	2
6	2	1	3	4	8	5	9	7
9	5	4	6	2	7	1	3	8
8	1	5	4	7	6	3	2	9
2	9	7	8	3	1	4	6	5
3	4	6	5	9	2	7	8	1
4	3	8	2	1	5	9	7	6
5	6	9	7	8	3	2	1	4
1	7	2	9	6	4	8	5	3

Puzzle #395

6	9	5	3	8	2	4	7	1
4	8	3	1	6	7	5	2	9
1	7	2	9	4	5	3	8	6
7	6	1	8	2	4	9	3	5
3	4	9	7	5	1	2	6	8
2	5	8	6	3	9	1	4	7
5	3	7	2	1	8	6	9	4
8	2	4	5	9	6	7	1	3
9	1	6	4	7	3	8	5	2

Puzzle #396

7	9	6	4	2	3	8	1	5
2	8	3	1	9	5	4	7	6
5	4	1	7	6	8	2	3	9
6	1	7	9	3	4	5	2	8
9	5	8	2	7	1	3	6	4
3	2	4	8	5	6	1	9	7
4	6	9	5	1	2	7	8	3
1	3	5	6	8	7	9	4	2
8	7	2	3	4	9	6	5	1

Puzzle #397 (Medium, Difficulty Rating: 57.82)

5	2	6	9	7	8	3	4	1
1	4	8	6	3	2	5	9	7
9	3	7	1	4	5	6	2	8
2	7	1	8	6	4	9	5	3
8	5	9	2	1	3	7	6	4
4	6	3	5	9	7	8	1	2
6	9	4	3	8	1	2	7	5
7	8	5	4	2	6	1	3	9
3	1	2	7	5	9	4	8	6

Puzzle #398 (Medium, Difficulty Rating: 49.00)

8	5	3	7	6	9	2	4	1
7	2	9	1	4	3	6	8	5
4	1	6	2	5	8	9	3	7
1	7	4	6	8	5	3	2	9
6	3	5	9	2	7	8	1	4
9	8	2	3	1	4	7	5	6
2	6	7	5	3	1	4	9	8
5	9	8	4	7	2	1	6	3
3	4	1	8	9	6	5	7	2

Puzzle #399 (Medium, Difficulty Rating: 48.02)

6	1	9	3	8	7	5	2	4
2	7	8	4	6	5	1	3	9
4	3	5	1	2	9	6	7	8
8	2	4	9	5	1	3	6	7
1	9	6	2	7	3	8	4	5
3	5	7	6	4	8	2	9	1
9	8	3	7	1	2	4	5	6
5	6	2	8	9	4	7	1	3
7	4	1	5	3	6	9	8	2

Puzzle #400 (Medium, Difficulty Rating: 46.06)

2	5	1	4	7	8	3	9	6
6	4	3	9	2	1	7	8	5
9	8	7	5	3	6	4	2	1
5	1	6	8	9	3	2	4	7
3	7	9	2	6	4	1	5	8
4	2	8	1	5	7	9	6	3
1	9	4	7	8	5	6	3	2
8	3	2	6	1	9	5	7	4
7	6	5	3	4	2	8	1	9

Puzzle #401 (Medium, Difficulty Rating: 46.06)

2	8	9	3	5	7	6	4	1
7	3	5	1	4	6	9	8	2
4	1	6	2	9	8	5	7	3
1	7	2	6	8	3	4	5	9
8	5	4	9	2	1	7	3	6
9	6	3	5	7	4	2	1	8
3	4	1	7	6	2	8	9	5
6	9	7	8	1	5	3	2	4
5	2	8	4	3	9	1	6	7

Puzzle #402 (Medium, Difficulty Rating: 56.84)

4	1	8	7	5	3	2	9	6
5	7	2	4	6	9	8	3	1
9	6	3	8	1	2	4	7	5
1	9	6	5	8	7	3	4	2
2	8	5	9	3	4	1	6	7
7	3	4	1	2	6	5	8	9
8	5	7	6	4	1	9	2	3
3	4	9	2	7	5	6	1	8
6	2	1	3	9	8	7	5	4

Puzzle #403 (Medium, Difficulty Rating: 54.88)

9	5	8	1	6	4	2	3	7
1	2	7	8	9	3	6	5	4
6	3	4	2	5	7	1	8	9
4	8	2	5	1	6	9	7	3
5	7	1	3	4	9	8	2	6
3	6	9	7	8	2	5	4	1
8	9	5	4	3	1	7	6	2
2	4	6	9	7	5	3	1	8
7	1	3	6	2	8	4	9	5

Puzzle #404 (Medium, Difficulty Rating: 51.94)

8	4	3	6	9	1	7	2	5
1	6	2	7	5	3	8	9	4
9	5	7	8	4	2	1	6	3
2	8	9	3	1	7	4	5	6
7	3	5	4	6	8	9	1	2
4	1	6	9	2	5	3	7	8
5	2	4	1	3	9	6	8	7
3	7	1	5	8	6	2	4	9
6	9	8	2	7	4	5	3	1

Puzzle #405 (Medium, Difficulty Rating: 49.98)

2	7	3	4	1	6	8	5	9
6	8	9	5	7	2	4	3	1
5	1	4	9	3	8	6	7	2
4	6	2	7	8	5	9	1	3
9	5	7	1	4	3	2	6	8
1	3	8	2	6	9	7	4	5
7	4	5	8	2	1	3	9	6
8	9	6	3	5	4	1	2	7
3	2	1	6	9	7	5	8	4

Puzzle #406 (Medium, Difficulty Rating: 49.98)

4	5	3	2	1	6	8	9	7
1	6	9	4	7	8	3	5	2
2	7	8	3	9	5	6	1	4
6	3	2	1	4	9	5	7	8
8	4	1	7	5	2	9	6	3
7	9	5	6	8	3	4	2	1
5	2	4	9	3	7	1	8	6
9	1	6	8	2	4	7	3	5
3	8	7	5	6	1	2	4	9

Puzzle #407 (Medium, Difficulty Rating: 51.94)

6	1	3	2	7	4	5	9	8
5	9	4	3	6	8	2	7	1
2	7	8	9	1	5	6	4	3
4	8	5	7	2	6	3	1	9
1	3	7	4	5	9	8	6	2
9	2	6	8	3	1	7	5	4
3	4	9	6	8	7	1	2	5
8	6	1	5	9	2	4	3	7
7	5	2	1	4	3	9	8	6

Puzzle #408 (Medium, Difficulty Rating: 51.94)

5	4	7	3	6	1	8	9	2
9	3	6	2	7	8	5	4	1
1	8	2	4	5	9	6	7	3
6	9	1	5	3	4	7	2	8
4	2	3	9	8	7	1	5	6
7	5	8	1	2	6	9	3	4
3	6	5	7	1	2	4	8	9
8	7	9	6	4	3	2	1	5
2	1	4	8	9	5	3	6	7

Puzzle #409 (Medium, Difficulty Rating: 51.94)

8	7	5	1	9	6	3	2	4
3	9	6	2	4	8	7	5	1
1	2	4	3	5	7	8	9	6
4	1	7	8	2	5	6	3	9
5	3	9	7	6	1	2	4	8
2	6	8	4	3	9	1	7	5
9	8	2	6	7	4	5	1	3
6	5	3	9	1	2	4	8	7
7	4	1	5	8	3	9	6	2

Puzzle #410 (Medium, Difficulty Rating: 50.96)

7	8	2	5	9	3	4	6	1
3	4	1	2	8	6	9	7	5
5	9	6	4	1	7	2	3	8
9	6	7	8	3	4	1	5	2
2	3	5	1	7	9	6	8	4
8	1	4	6	2	5	7	9	3
4	2	9	3	6	8	5	1	7
6	5	8	7	4	1	3	2	9
1	7	3	9	5	2	8	4	6

Puzzle #411 (Medium, Difficulty Rating: 50.96)

5	7	3	2	8	6	1	9	4
4	9	1	7	3	5	6	2	8
8	6	2	9	1	4	5	3	7
9	2	5	4	6	8	3	7	1
6	3	7	1	5	2	4	8	9
1	8	4	3	9	7	2	5	6
7	4	6	8	2	3	9	1	5
2	1	8	5	4	9	7	6	3
3	5	9	6	7	1	8	4	2

Puzzle #412 (Medium, Difficulty Rating: 53.90)

3	9	2	8	5	1	6	7	4
6	8	7	4	2	3	1	9	5
4	5	1	9	7	6	2	8	3
5	6	9	2	3	4	8	1	7
2	3	8	7	1	5	4	6	9
1	7	4	6	9	8	5	3	2
9	1	6	3	4	2	7	5	8
8	2	3	5	6	7	9	4	1
7	4	5	1	8	9	3	2	6

Puzzle #413 (Medium, Difficulty Rating: 49.00)

6	9	3	7	4	2	8	5	1
7	1	8	9	5	6	2	3	4
4	2	5	3	8	1	7	6	9
3	6	2	1	7	5	4	9	8
1	5	7	4	9	8	3	2	6
9	8	4	2	6	3	1	7	5
2	7	6	5	1	4	9	8	3
5	3	1	8	2	9	6	4	7
8	4	9	6	3	7	5	1	2

Puzzle #414 (Medium, Difficulty Rating: 49.00)

8	4	1	2	3	9	6	7	5
9	6	2	5	8	7	3	4	1
7	5	3	1	6	4	2	9	8
1	7	6	4	9	2	5	8	3
4	2	9	3	5	8	7	1	6
3	8	5	7	1	6	4	2	9
2	9	8	6	4	5	1	3	7
5	1	7	8	2	3	9	6	4
6	3	4	9	7	1	8	5	2

Puzzle #415 (Medium, Difficulty Rating: 52.92)

7	8	5	1	2	3	9	4	6
9	3	4	5	6	7	8	1	2
6	2	1	8	9	4	5	3	7
8	1	9	4	5	2	6	7	3
3	4	6	7	8	9	2	5	1
5	7	2	6	3	1	4	8	9
1	9	8	2	7	5	3	6	4
2	5	7	3	4	6	1	9	8
4	6	3	9	1	8	7	2	5

Puzzle #416 (Medium, Difficulty Rating: 53.90)

7	4	9	8	3	1	6	2	5
5	2	1	7	4	6	3	9	8
3	6	8	5	9	2	1	7	4
8	7	6	2	5	9	4	3	1
4	9	2	1	8	3	7	5	6
1	5	3	6	7	4	9	8	2
2	3	4	9	6	8	5	1	7
9	8	7	4	1	5	2	6	3
6	1	5	3	2	7	8	4	9

Puzzle #417 (Medium, Difficulty Rating: 51.94)

2	5	1	7	4	3	9	6	8
9	7	3	8	1	6	4	5	2
8	4	6	5	2	9	3	1	7
7	1	8	6	9	5	2	4	3
5	9	2	1	3	4	8	7	6
3	6	4	2	7	8	5	9	1
6	2	5	4	8	1	7	3	9
4	8	9	3	6	7	1	2	5
1	3	7	9	5	2	6	8	4

Puzzle #418 (Medium, Difficulty Rating: 53.90)

5	2	6	1	3	9	8	4	7
1	9	7	4	6	8	5	3	2
8	4	3	7	2	5	6	1	9
7	5	9	2	8	3	4	6	1
3	1	2	6	5	4	9	7	8
4	6	8	9	7	1	2	5	3
9	8	5	3	4	7	1	2	6
6	3	1	5	9	2	7	8	4
2	7	4	8	1	6	3	9	5

Puzzle #419 (Medium, Difficulty Rating: 54.88)

5	8	1	2	9	7	6	3	4
3	4	7	6	5	8	1	2	9
9	6	2	1	3	4	8	7	5
2	5	4	8	1	9	7	6	3
7	3	6	5	4	2	9	1	8
8	1	9	3	7	6	5	4	2
6	7	8	4	2	5	3	9	1
4	9	3	7	8	1	2	5	6
1	2	5	9	6	3	4	8	7

Puzzle #420 (Medium, Difficulty Rating: 45.08)

7	2	1	5	3	9	8	4	6
8	9	5	6	7	4	3	1	2
4	3	6	2	1	8	9	5	7
2	6	8	3	5	1	7	9	4
9	7	3	4	2	6	1	8	5
1	5	4	8	9	7	6	2	3
6	8	9	7	4	2	5	3	1
5	1	2	9	6	3	4	7	8
3	4	7	1	8	5	2	6	9

Puzzle #421 (Medium, Difficulty Rating: 48.02)

7	6	5	2	1	4	3	8	9
4	3	9	7	6	8	2	1	5
2	1	8	3	9	5	6	7	4
8	4	6	9	5	7	1	2	3
1	9	3	4	2	6	7	5	8
5	7	2	1	8	3	9	4	6
9	8	7	5	3	1	4	6	2
3	5	1	6	4	2	8	9	7
6	2	4	8	7	9	5	3	1

Puzzle #422 (Medium, Difficulty Rating: 53.90)

1	7	9	8	4	3	6	2	5
2	5	4	6	1	9	3	8	7
3	8	6	2	7	5	4	1	9
4	6	3	9	2	8	7	5	1
8	2	1	5	3	7	9	6	4
5	9	7	4	6	1	8	3	2
9	4	5	1	8	6	2	7	3
7	1	8	3	9	2	5	4	6
6	3	2	7	5	4	1	9	8

Puzzle #423 (Medium, Difficulty Rating: 44.10)

2	8	3	1	4	9	6	7	5
9	1	5	6	7	3	8	2	4
7	6	4	5	2	8	3	9	1
5	3	2	7	8	6	1	4	9
4	7	1	3	9	2	5	6	8
8	9	6	4	5	1	7	3	2
6	2	9	8	3	5	4	1	7
3	5	7	2	1	4	9	8	6
1	4	8	9	6	7	2	5	3

Puzzle #424 (Medium, Difficulty Rating: 50.96)

7	1	6	5	4	3	9	2	8
3	9	8	2	6	1	5	7	4
2	5	4	9	7	8	6	3	1
6	8	7	3	5	4	1	9	2
1	3	9	8	2	7	4	6	5
4	2	5	6	1	9	7	8	3
5	7	3	1	8	6	2	4	9
8	6	1	4	9	2	3	5	7
9	4	2	7	3	5	8	1	6

Puzzle #425 (Medium, Difficulty Rating: 52.92)

3	8	2	5	4	1	9	6	7
7	9	6	3	8	2	4	1	5
1	5	4	9	7	6	3	2	8
4	2	7	1	5	8	6	3	9
8	1	3	6	9	4	7	5	2
9	6	5	7	2	3	1	8	4
2	3	8	4	1	7	5	9	6
5	7	1	2	6	9	8	4	3
6	4	9	8	3	5	2	7	1

Puzzle #426 (Medium, Difficulty Rating: 46.06)

9	8	6	3	7	5	2	4	1
4	3	5	9	2	1	6	8	7
7	2	1	4	8	6	9	3	5
8	9	7	5	4	2	1	6	3
2	1	4	8	6	3	7	5	9
5	6	3	1	9	7	4	2	8
6	4	8	7	5	9	3	1	2
3	7	2	6	1	8	5	9	4
1	5	9	2	3	4	8	7	6

Puzzle #427 (Medium, Difficulty Rating: 50.96)

4	1	6	9	2	3	5	8	7
5	8	2	4	1	7	6	9	3
3	9	7	6	8	5	4	1	2
7	3	9	1	6	4	2	5	8
1	5	8	3	7	2	9	4	6
6	2	4	8	5	9	7	3	1
9	7	3	2	4	1	8	6	5
2	6	1	5	9	8	3	7	4
8	4	5	7	3	6	1	2	9

Puzzle #428 (Medium, Difficulty Rating: 51.94)

5	8	4	1	2	7	6	9	3
3	7	2	6	5	9	1	8	4
9	1	6	3	8	4	2	5	7
4	3	7	9	1	8	5	2	6
2	5	9	7	4	6	8	3	1
1	6	8	5	3	2	4	7	9
7	2	3	8	6	1	9	4	5
6	4	5	2	9	3	7	1	8
8	9	1	4	7	5	3	6	2

Puzzle #429 (Medium, Difficulty Rating: 48.02)

7	2	4	8	9	1	3	5	6
8	3	9	5	7	6	4	1	2
1	6	5	3	2	4	7	8	9
2	5	3	9	1	8	6	7	4
4	7	6	2	3	5	1	9	8
9	1	8	4	6	7	5	2	3
3	4	7	1	8	9	2	6	5
6	8	2	7	5	3	9	4	1
5	9	1	6	4	2	8	3	7

Puzzle #430 (Medium, Difficulty Rating: 49.98)

6	2	7	5	9	1	8	4	3
5	1	3	4	2	8	9	7	6
8	9	4	3	6	7	1	2	5
2	8	9	1	5	4	3	6	7
4	5	6	9	7	3	2	8	1
7	3	1	2	8	6	5	9	4
9	4	2	7	1	5	6	3	8
3	6	5	8	4	2	7	1	9
1	7	8	6	3	9	4	5	2

Puzzle #431 (Medium, Difficulty Rating: 44.10)

1	9	4	3	6	8	2	7	5
7	3	8	9	5	2	4	6	1
5	6	2	7	1	4	3	8	9
2	8	3	5	9	6	7	1	4
4	1	9	2	7	3	8	5	6
6	7	5	4	8	1	9	3	2
3	5	1	8	4	9	6	2	7
8	4	6	1	2	7	5	9	3
9	2	7	6	3	5	1	4	8

Puzzle #432 (Medium, Difficulty Rating: 48.02)

5	4	3	9	1	7	2	6	8
9	8	6	5	3	2	1	7	4
7	1	2	8	6	4	9	5	3
3	2	5	6	4	1	7	8	9
1	6	8	7	5	9	3	4	2
4	9	7	2	8	3	6	1	5
2	7	4	1	9	5	8	3	6
6	3	9	4	7	8	5	2	1
8	5	1	3	2	6	4	9	7

BRAINIAC PUZZLES

ENJOYED THIS BOOK?

Our success depends on our reputation. If you enjoyed our book, we would really appreciate leaving a review on Amazon. The link below will take you directly to the review page on Amazon.

VISIT:

www.brainiacpuzzles.com/med1

-OR-
SCAN:

Made in the USA
Las Vegas, NV
04 May 2023